ANTIGONE

JEAN ANOUILH

ANTIGONE

LA TABLE RONDE
40, rue du Bac
PARIS-VIIe

ANTIGONE de JEAN ANOUILH a été présentée pour la première fois à Paris le 4 février 1944 au théâtre de l'Atelier, dans une mise en scène d'ANDRÉ BARSACQ, avec la distribution suivante : MONELLE VALENTIN, JEAN DAVY, AUGUSTE BOVERIO, BEAUCHAMP, ANDRÉ LE GALL, SUZANNE FLON, ODETTE TALAZAC, RAMBAU-VILLE, MATOS et SYLVER.

PERSONNAGES

ANTIGONE
CRÉON

HÉMON
ISMÈNE
EURYDICE

LA NOURRICE
LE PAGE DE CRÉON
LES GARDES

LE MESSAGER
LE CHŒUR

Un décor neutre. Trois portes semblables. Au lever du rideau, tous les personnages sont en scène. Ils bavardent, tricotent, jouent aux cartes. Le Prologue se détache et s'avance.

LE PROLOGUE

Voilà. Ces personnages vont vous jouer l'histoire d'Antigone. Antigone, c'est la petite maigre qui est assise là-bas, et qui ne dit rien. Elle regarde droit devant elle. Elle pense. Elle pense qu'elle va être Antigone tout à l'heure, qu'elle va surgir soudain de la maigre jeune fille noiraude et renfermée que personne ne prenait au sérieux dans la famille et se dresser seule en face du monde, seule en face de Créon, son oncle, qui est le roi. Elle pense qu'elle va mourir, qu'elle est jeune et qu'elle aussi, elle aurait bien aimé vivre. Mais il n'y a rien à faire. Elle s'appelle Antigone et il va falloir qu'elle joue son rôle jusqu'au bout... Et, depuis que ce rideau s'est levé, elle sent qu'elle s'éloigne à une vitesse vertigineuse de sa sœur Ismène, qui bavarde et rit avec un jeune homme, de nous tous, qui sommes là tranquilles à la regarder, de nous qui n'avons pas à mourir ce soir.

Le jeune homme avec qui parle la blonde, la belle, l'heureuse Ismène, c'est Hémon, le fils de Créon. Il est le fiancé d'Antigone. Tout le portait vers Ismène : son goût de la danse et des jeux, son goût du bonheur et de la réussite, sa sensualité aussi, car Ismène est bien plus belle qu'Antigone, et puis un soir, un soir de bal où il n'avait dansé qu'avec Ismène, un soir où Ismène avait été éblouissante dans sa nouvelle robe, il a été trouver Antigone qui rêvait dans un coin, comme en ce moment, ses bras entourant ses genoux, et il lui a demandé d'être sa femme. Personne n'a jamais compris pourquoi. Antigone a levé sans étonnement ses yeux graves sur lui et elle lui a dit « oui » avec un petit sourire triste... L'orchestre attaquait une nouvelle danse; Ismène riait aux éclats, là-bas, au milieu des autres garçons et voilà, maintenant, lui, il allait être le mari d'Antigone. Il ne savait pas qu'il ne devait jamais exister de mari d'Antigone sur cette terre, et que ce titre princier lui donnait seulement le droit de mourir.

Cet homme robuste, aux cheveux blancs, qui médite là, près de son page, c'est Créon. C'est le roi. Il a des rides, il est fatigué. Il joue au jeu difficile de conduire les hommes. Avant, du temps d'Œdipe, quand il n'était que le premier personnage de la cour, il aimait la musique, les belles reliures, les longues flâneries chez les petits antiquaires de Thèbes. Mais Œdipe et ses fils sont morts. Il a laissé ses livres, ses objets, il a retroussé ses manches et il a pris leur place.

Quelquefois, le soir, il est fatigué, et il se demande s'il n'est pas vain de conduire les hommes. Si cela n'est pas un office sordide qu'on doit laisser à d'autres plus frustes... Et puis, au matin, des problèmes précis se posent, qu'il faut résoudre, et il se lève tranquille, comme un ouvrier au seuil de sa journée.

La vieille dame qui tricote, à côté de la nourrice qui a élevé les deux petites, c'est Eurydice, la femme de Créon. Elle tricotera pendant toute la tragédie jusqu'à ce que son tour vienne de se lever et de mourir. Elle est bonne, digne, aimante; elle ne lui est d'aucun secours. Créon est seul. Seul avec son petit page qui est trop petit et qui ne peut rien non plus pour lui.

Ce garçon, pâle là-bas, au fond, qui rêve, adossé au mur, solitaire, c'est le Messager. C'est lui qui viendra annoncer la mort d'Hémon tout à l'heure. C'est pour cela qu'il n'a pas envie de bavarder ni de se mêler aux autres. Il sait déjà...

Enfin les trois hommes rougeauds qui jouent aux cartes, leur chapeau sur la nuque, ce sont les gardes. Ce ne sont pas de mauvais bougres, ils ont des femmes, des enfants, et des petits ennuis comme tout le monde, mais ils vous empoigneront les accusés le plus tranquillement du monde tout à l'heure. Ils sentent l'ail, le cuir et le vin rouge et ils sont dépourvus de toute imagination. Ce sont les auxiliaires toujours innocents et toujours satisfaits d'eux-mêmes, de la justice. Pour le moment, jusqu'à ce qu'un nouveau chef de Thèbes dûment mandaté leur ordonne de l'arrêter à son tour, ce sont les auxiliaires de la justice de Créon.

Et maintenant que vous les connaissez tous, ils vont pouvoir vous jouer leur histoire. Elle commence au moment où les deux fils d'Œdipe, Étéocle et Polynice, qui devaient régner sur Thèbes un an chacun à tour de rôle, se sont battus et entre-tués sous les murs de la ville, Étéocle l'aîné, au terme de la première année de pouvoir, ayant refusé de céder la place à son frère. Sept grands princes étrangers que Polynice avait gagnés à sa cause ont été défaits devant les sept portes de Thèbes. Maintenant la ville est sauvée, les deux frères ennemis sont morts et Créon, le roi, a ordonné qu'à Étéocle, le bon frère, il serait fait d'imposantes funérailles, mais que Polynice, le vaurien, le révolté, le voyou, serait laissé sans pleurs et sans sépulture, la proie des corbeaux et des chacals. Quiconque osera lui rendre les devoirs funèbres sera impitoyablement puni de mort.

Pendant que le Prologue parlait les personnages sont sortis un à un. Le Prologue disparaît aussi.

L'éclairage s'est modifié sur la scène. C'est maintenant une aube grise et livide dans une maison qui dort.

Antigone entrouvre la porte et rentre de l'extérieur sur la pointe de ses pieds nus, ses souliers à la main. Elle reste un instant immobile à écouter. La nourrice surgit.

LA NOURRICE

D'où viens-tu?

ANTIGONE

De me promener, nourrice. C'était beau. Tout était
gris. Maintenant, tu ne peux pas savoir, tout est déjà
rose, jaune vert. C'est devenu une carte postale. Il faut
te lever plus tôt, nourrice, si tu veux voir un monde sans
couleurs.

Elle va passer.

LA NOURRICE

Je me lève quand il fait encore noir, je vais à ta chambre
pour voir si tu ne t'es pas découverte en dormant et je
ne te trouve plus dans ton lit!

ANTIGONE

Le jardin dormait encore. Je l'ai surpris, nourrice.
Je l'ai vu sans qu'il s'en doute. C'est beau un jardin
qui ne pense pas encore aux hommes.

LA NOURRICE

Tu es sortie. J'ai été à la porte du fond, tu l'avais
laissée entrebâillée.

ANTIGONE

Dans les champs c'était tout mouillé et cela attendait.
Tout attendait. Je faisais un bruit énorme toute seule
sur la route et j'étais gênée parce que je savais bien
que ce n'était pas moi qu'on attendait. Alors, j'ai enlevé
mes sandales et je me suis glissée dans la campagne sans
qu'elle s'en aperçoive...

LA NOURRICE

Il va falloir te laver les pieds avant de te remettre
au lit.

ANTIGONE

Je ne me recoucherai pas ce matin.

LA NOURRICE

A quatre heures! Il n'était pas quatre heures! Je me lève pour voir si elle n'était pas découverte. Je trouve son lit froid et personne dedans.

ANTIGONE

Tu crois que si on se levait comme cela tous les matins ce serait tous les matins aussi beau, nourrice, d'être la première fille dehors?

LA NOURRICE

La nuit! C'était la nuit! Et tu veux me faire croire que tu as été te promener, menteuse! D'où viens-tu?

ANTIGONE, *a un étrange sourire.*

C'est vrai, c'était encore la nuit. Et il n'y avait que moi dans toute la campagne à penser que c'était déjà le matin. C'est merveilleux, nourrice. J'ai cru au jour la première aujourd'hui.

LA NOURRICE

Fais la folle! Fais la folle! Je la connais, la chanson. J'ai été fille avant toi. Et pas commode non plus, mais dure tête comme toi, non. D'où viens-tu, mauvaise?

ANTIGONE, *soudain grave.*

Non. Pas mauvaise.

LA NOURRICE

Tu avais un rendez-vous hein? Dis non, peut-être.

ANTIGONE, *doucement.*

Oui. J'avais un rendez-vous.

LA NOURRICE

Tu as un amoureux?

ANTIGONE, *étrangement, après un silence.*

Oui, nourrice, oui, le pauvre. J'ai un amoureux.

LA NOURRICE, *éclate.*

Ah! c'est du joli! c'est du propre! Toi, la fille d'un roi! Donnez-vous du mal, donnez-vous du mal pour les élever! Elles sont toutes les mêmes. Tu n'étais pourtant pas comme les autres, toi, à t'attifer toujours devant la glace, à te mettre du rouge aux lèvres, à chercher à ce qu'on te remarque. Combien de fois je me suis dit : « Mon Dieu, cette petite, elle n'est pas assez coquette! Toujours avec la même robe et mal peignée. Les garçons ne verront qu'Ismène avec ses bouclettes et ses rubans et ils me la laisseront sur les bras. » Hé bien, tu sais, tu étais comme ta sœur, et pire encore, hypocrite! Qui est-ce? Un voyou, hein, peut-être? Un garçon que tu ne peux pas dire à ta famille : « Voilà, c'est lui que j'aime, je veux l'épouser. » C'est ça, hein, c'est ça? Réponds donc, fanfaronne!

ANTIGONE, *a encore un sourire imperceptible.*

Oui, nourrice.

LA NOURRICE

Et elle dit oui! Miséricorde! Je l'ai eue toute gamine; j'ai promis à sa pauvre mère que j'en ferais une honnête fille, et voilà! Mais cela ne va pas se passer comme ça, ma petite. Je ne suis que ta nourrice et tu me traites comme une vieille bête, bon! mais ton oncle, ton oncle Créon saura. Je te le promets!

ANTIGONE, *soudain un peu lasse.*

Oui, nourrice, mon oncle Créon saura. Laisse-moi maintenant.

LA NOURRICE

Et tu verras ce qu'il dira quand il apprendra que tu te lèves la nuit. Et Hémon? Et ton fiancé? Car elle est fiancée! Elle est fiancée, et à quatre heures du matin elle quitte son lit pour aller courir avec un autre. Et ça vous répond qu'on la laisse, ça voudrait qu'on ne dise

rien. Tu sais ce que je devrais faire? Te battre comme
lorsque tu étais petite.

ANTIGONE

Nounou, tu ne devrais pas trop crier. Tu ne devrais
pas être trop méchante ce matin.

LA NOURRICE

Pas crier! Je ne dois pas crier par-dessus le marché!
Moi qui avais promis à ta mère. Qu'est-ce qu'elle me
dirait si elle était là? « Vieille bête, oui, vieille bête, qui
n'as pas su me la garder pure, ma petite. Toujours à
crier, à faire le chien de garde, à leur tourner autour avec
des lainages pour qu'elles ne prennent pas froid ou des
laits de poule pour les rendre fortes; mais à quatre
heures du matin tu dors, vieille bête, tu dors, toi qui
ne peux pas fermer l'œil et tu les laisses filer, marmotte,
et quand tu arrives le lit est froid! » Voilà ce qu'elle me
dira ta mère, là-haut, quand j'y monterai, et moi j'aurai
honte, honte à en mourir si je n'étais pas déjà morte, et
je ne pourrai que baisser la tête et répondre : « Madame
Jocaste, c'est vrai. »

ANTIGONE

Non, nourrice. Ne pleure plus. Tu pourras regarder
maman bien en face, quand tu iras la retrouver. Et elle
te dira : « Bonjour, nounou, merci pour la petite Antigone. Tu as bien pris soin d'elle. » Elle sait pourquoi je
suis sortie ce matin.

LA NOURRICE

Tu n'as pas d'amoureux?

ANTIGONE

Non, nounou.

LA NOURRICE

Tu te moques de moi, alors? Tu vois, je suis trop
vieille. Tu étais ma préférée, malgré ton sale caractère.

Ta sœur était plus douce, mais je croyais que c'était toi qui m'aimais. Si tu m'aimais tu m'aurais dit la vérité. Pourquoi ton lit était-il froid quand je suis venue te border?

ANTIGONE

Ne pleure plus, s'il te plaît, nounou.

Elle l'embrasse.

Allons, ma vieille bonne pomme rouge. Tu sais quand je te frottais pour que tu brilles? Ma vieille pomme toute ridée. Ne laisse pas couler tes larmes dans toutes les petites rigoles, pour des bêtises comme cela — pour rien. Je suis pure, je n'ai pas d'autre amoureux qu'Hémon, mon fiancé, je te le jure. Je peux même te jurer si tu veux, que je n'aurai jamais d'autre amoureux... Garde tes larmes, garde tes larmes; tu en auras peut-être besoin encore, nounou. Quand tu pleures comme cela, je redeviens petite... Et il ne faut pas que je sois petite ce matin.

Entre Ismène.

ISMÈNE

Tu es déjà levée? Je viens de ta chambre.

ANTIGONE

Oui, je suis déjà levée.

LA NOURRICE

Toutes les deux alors!... Toutes les deux vous allez devenir folles et vous lever avant les servantes? Vous croyez que c'est bon d'être debout le matin à jeun, que c'est convenable pour des princesses? Vous n'êtes seulement pas couvertes. Vous allez voir que vous allez encore me prendre mal.

ANTIGONE

Laisse-nous, nourrice. Il ne fait pas froid, je t'assure: c'est déjà l'été. Va nous faire du café.

Elle s'est assise soudain fatiguée.

Je voudrais bien un peu de café, s'il te plaît, nounou.
Cela me ferait du bien.

LA NOURRICE

Ma colombe! La tête lui tourne d'être sans rien et je
suis là comme une idiote au lieu de lui donner quelque
chose de chaud.

Elle sort vite.

ISMÈNE

Tu es malade?

ANTIGONE

Cela n'est rien. Un peu de fatigue.

Elle sourit.

C'est parce que je me suis levée tôt.

ISMÈNE

Moi non plus je n'ai pas dormi.

ANTIGONE, *sourit encore.*

Il faut que tu dormes. Tu serais moins belle demain.

ISMÈNE

Ne te moque pas.

ANTIGONE

Je ne me moque pas. Cela me rassure ce matin, que
tu sois belle. Quand j'étais petite, j'étais si malheureuse,
tu te souviens? Je te barbouillais de terre, je te mettais
des vers dans le cou. Une fois, je t'ai attachée à un arbre
et je t'ai coupé tes cheveux, tes beaux cheveux...

Elle caresse les cheveux d'Ismène.

Comme cela doit être facile de ne pas penser de bêtises
avec toutes ces belles mèches lisses et bien ordonnées
autour de la tête!

ISMÈNE, *soudain.*

Pourquoi parles-tu d'autre chose?

ANTIGONE, *doucement,*
sans cesser de lui caresser les cheveux.

Je ne parle pas d'autre chose...

ISMÈNE

Tu sais, j'ai bien pensé, Antigone.

ANTIGONE

Oui.

ISMÈNE

J'ai bien pensé toute la nuit. Tu es folle.

ANTIGONE

Oui.

ISMÈNE

Nous ne pouvons pas.

ANTIGONE, *après un silence, de sa petite voix.*

Pourquoi?

ISMÈNE

Il nous ferait mourir.

ANTIGONE

Bien sûr. A chacun son rôle. Lui, il doit nous faire mourir, et nous, nous devons aller enterrer notre frère. C'est comme cela que ç'a été distribué. Qu'est-ce que tu veux que nous y fassions?

ISMÈNE

Je ne veux pas mourir.

ANTIGONE, *doucement.*

Moi aussi j'aurais bien voulu ne pas mourir.

ISMÈNE

Écoute, j'ai bien réfléchi toute la nuit. Je suis l'aînée.

Je réfléchis plus que toi. Toi, c'est ce qui te passe par la tête tout de suite, et tant pis si c'est une bêtise. Moi je suis plus pondérée. Je réfléchis.

ANTIGONE

Il y a des fois où il ne faut pas trop réfléchir.

ISMÈNE

Si, Antigone. D'abord c'est horrible, bien sûr, et j'ai pitié moi aussi de mon frère, mais je comprends un peu notre oncle.

ANTIGONE

Moi je ne veux pas comprendre un peu.

ISMÈNE

Il est le roi, il faut qu'il donne l'exemple.

ANTIGONE

Moi, je ne suis pas le roi. Il ne faut pas que je donne l'exemple, moi... Ce qui lui passe par la tête, la petite Antigone, la sale bête, l'entêtée, la mauvaise, et puis on la met dans un coin ou dans un trou. Et c'est bien fait pour elle. Elle n'avait qu'à ne pas désobéir!

ISMÈNE

Allez! Allez!... Tes sourcils joints, ton regard droit devant toi et te voilà lancée sans écouter personne. Écoute-moi. J'ai raison plus souvent que toi.

ANTIGONE

Je ne veux pas avoir raison.

ISMÈNE

Essaie de comprendre, au moins.

ANTIGONE

Comprendre... Vous n'avez que ce mot-là dans la bouche, tous, depuis que je suis toute petite. Il fallait comprendre qu'on ne peut pas toucher à l'eau, à la belle eau fuyante et froide parce que cela mouille les dalles, à la terre parce que cela tache les robes. Il fallait comprendre qu'on ne doit pas manger tout à la fois, donner tout ce qu'on a dans ses poches au mendiant qu'on rencontre, courir, courir dans le vent jusqu'à ce qu'on tombe par terre et boire quand on a chaud et se baigner quand il est trop tôt ou trop tard, mais pas juste quand on en a envie! Comprendre. Toujours comprendre. Moi je ne veux pas comprendre. Je comprendrai quand je serai vieille.

Elle achève doucement.

Si je deviens vieille. Pas maintenant.

ISMÈNE

Il est plus fort que nous, Antigone. Il est le roi. Et ils pensent tous comme lui dans la ville. Ils sont des milliers et des milliers autour de nous, grouillant dans toutes les rues de Thèbes.

ANTIGONE

Je ne t'écoute pas.

ISMÈNE

Ils nous hueront. Ils nous prendront avec leurs mille bras, leurs mille visages et leur unique regard. Ils nous cracheront à la figure. Et il faudra avancer dans leur haine sur la charrette avec leur odeur et leurs rires jusqu'au supplice. Et là il y aura les gardes avec leurs têtes d'imbéciles, congestionnées sur leurs cols raides, leurs grosses mains lavées, leur regard de bœuf — qu'on sent qu'on pourra toujours crier, essayer de leur faire comprendre, qu'ils vont comme des nègres et qu'ils feront tout ce qu'on leur a dit scrupuleusement, sans savoir si c'est bien ou mal... Et souffrir? Il faudra souffrir, sentir que la douleur monte, qu'elle est arrivée au point où l'on ne peut plus la supporter; qu'il faudrait qu'elle s'arrête, mais qu'elle continue pourtant et monte

encore, comme une voix aiguë... Oh! je ne peux pas,
je ne peux pas...

ANTIGONE

Comme tu as bien tout pensé.

ISMÈNE

Toute la nuit. Pas toi?

ANTIGONE

Si, bien sûr.

ISMÈNE

Moi, tu sais, je ne suis pas très courageuse.

ANTIGONE, *doucement.*

Moi non plus. Mais qu'est-ce que cela fait?

Il y a un silence, Ismène demande soudain.

ISMÈNE

Tu n'as donc pas envie de vivre, toi?

ANTIGONE, *murmure.*

Pas envie de vivre...

(Et plus doucement encore si c'est possible.)

Qui se levait la première, le matin, rien que pour sentir
l'air froid sur sa peau nue? Qui se couchait la dernière
seulement quand elle n'en pouvait plus de fatigue, pour
vivre encore un peu de la nuit? Qui pleurait déjà toute
petite, en pensant qu'il y avait tant de petites bêtes, tant
de brins d'herbe dans le pré et qu'on ne pouvait pas
tous les prendre?

ISMÈNE, *a un élan soudain vers elle.*

Ma petite sœur...

ANTIGONE, *se redresse et crie.*

Ah, non! Laisse-moi! Ne me caresse pas! Ne nous
mettons pas à pleurnicher ensemble, maintenant. Tu

as bien réfléchi, tu dis? Tu penses que toute la ville
hurlante contre toi, tu penses que la douleur et la peur
de mourir c'est assez?

ISMÈNE, *baisse la tête.*

Oui.

ANTIGONE

Sers-toi de ces prétextes.

ISMÈNE, *se jette contre elle.*

Antigone! Je t'en supplie! C'est bon pour les hommes
de croire aux idées et de mourir pour elles. Toi tu es
une fille.

ANTIGONE, *les dents serrées.*

Une fille, oui. Ai-je assez pleuré d'être une fille!

ISMÈNE

Ton bonheur est là devant toi et tu n'as qu'à le
prendre. Tu es fiancée, tu es jeune, tu es belle...

ANTIGONE, *sourdement.*

Non, je ne suis pas belle.

ISMÈNE

Pas belle comme nous, mais autrement. Tu sais bien
que c'est sur toi que se retournent les petits voyous
dans la rue; que c'est toi que les petites filles regardent
passer, soudain muettes sans pouvoir te quitter des yeux
jusqu'à ce que tu aies tourné le coin.

ANTIGONE, *a un petit sourire imperceptible.*

Des voyous, des petites filles...

ISMÈNE, *après un temps.*

Et Hémon, Antigone?

ANTIGONE, *fermée.*

Je parlerai tout à l'heure à Hémon : Hémon sera tout à l'heure une affaire réglée.

ISMÈNE

Tu es folle.

ANTIGONE, *sourit.*

Tu m'as toujours dit que j'étais folle, pour tout, depuis toujours. Va te recoucher, Ismène... Il fait jour maintenant, tu vois, et, de toute façon, je ne pourrais rien faire. Mon frère mort est maintenant entouré d'une garde exactement comme s'il avait réussi à se faire roi. Va te recoucher. Tu es toute pâle de fatigue.

ISMÈNE

Et toi?

ANTIGONE

Je n'ai pas envie de dormir... Mais je te promets que je ne bougerai pas d'ici avant ton réveil. Nourrice va m'apporter à manger. Va dormir encore. Le soleil se lève seulement. Tu as les yeux tout petits de sommeil. Va...

ISMÈNE

Je te convaincrai, n'est-ce pas? Je te convaincrai? Tu me laisseras te parler encore?

ANTIGONE, *un peu lasse.*

Je te laisserai me parler, oui. Je vous laisserai tous me parler. Va dormir maintenant, je t'en prie. Tu serais moins belle demain.

Elle la regarde sortir avec un petit sourire triste, puis elle tombe soudain lasse sur une chaise.

Pauvre Ismène!...

LA NOURRICE, *entre.*

Tiens, te voilà un bon café et des tartines, mon pigeon. Mange.

ANTIGONE

Je n'ai pas très faim, nourrice.

LA NOURRICE

Je te les ai grillées moi-même et beurrées comme tu les aimes.

ANTIGONE

Tu es gentille, nounou. Je vais seulement boire un peu.

LA NOURRICE

Où as-tu mal?

ANTIGONE

Nulle part, nounou. Mais fais-moi tout de même bien chaud comme lorsque j'étais malade... Nounou plus forte que la fièvre, nounou plus forte que le cauchemar, plus forte que l'ombre de l'armoire qui ricane et se transforme d'heure en heure sur le mur, plus forte que les mille insectes du silence qui rongent quelque chose, quelque part dans la nuit, plus forte que la nuit elle-même avec son hululement de folle qu'on n'entend pas — nounou, plus forte que la mort. Donne-moi ta main comme lorsque tu restais à côté de mon lit.

LA NOURRICE

Qu'est-ce que tu as, ma petite colombe?

ANTIGONE

Rien, nounou. Je suis seulement encore un peu petite pour tout cela. Mais il n'y a que toi qui dois le savoir.

LA NOURRICE

Trop petite, pourquoi, ma mésange?

ANTIGONE

Pour rien, nounou. Et puis, tu es là. Je tiens ta bonne main rugueuse qui sauve de tout, toujours, je le sais bien. Peut-être qu'elle va me sauver encore. Tu es si puissante, nounou.

LA NOURRICE

Qu'est-ce que tu veux que je fasse pour toi, ma tourterelle?

ANTIGONE

Rien, nounou. Seulement ta main comme cela sur ma joue.

Elle reste un moment les yeux fermés.

Voilà, je n'ai plus peur. Ni du méchant ogre, ni du marchand de sable, ni de Taoutaou qui passe et emmène les enfants...

Un silence encore, elle continue d'un autre ton.

Nounou, tu sais, Douce, ma chienne...

LA NOURRICE

Oui.

ANTIGONE

Tu vas me promettre que tu ne la gronderas plus jamais.

LA NOURRICE

Une bête qui salit tout avec ses pattes! Ça ne devrait pas entrer dans les maisons.

ANTIGONE

Même si elle salit tout. Promets, nourrice.

LA NOURRICE

Alors il faudra que je la laisse tout abîmer sans rien dire?

ANTIGONE

Oui, nounou.

LA NOURRICE

Ah! ça serait un peu fort!

ANTIGONE

S'il te plaît, nounou. Tu l'aimes bien, Douce, avec sa bonne grosse tête. Et puis, au fond, tu aimes bien frotter aussi. Tu serais très malheureuse si tout restait propre toujours. Alors je te le demande : ne la gronde pas.

LA NOURRICE

Si elle pisse sur mes tapis?

ANTIGONE

Promets que tu ne la gronderas tout de même pas. Je t'en prie, dis, je t'en prie, nounou...

LA NOURRICE

Tu profites de ce que tu câlines... C'est bon. C'est bon. On essuiera sans rien dire. Tu me fais tourner en bourrique.

ANTIGONE

Et puis, promets-moi aussi que tu lui parleras, que tu lui parleras souvent.

LA NOURRICE, *hausse les épaules.*

A-t-on vu ça? Parler aux bêtes!

ANTIGONE

Et justement pas comme à une bête. Comme à une vraie personne, comme tu m'entends faire...

LA NOURRICE

Ah! ça non! A mon âge, faire l'idiote! Mais pourquoi veux-tu que toute la maison lui parle comme toi, à cette bête?

ANTIGONE, *doucement.*

Si moi, pour une raison ou pour une autre, je ne pouvais plus lui parler...

LA NOURRICE, *qui ne comprend pas.*

Plus lui parler, plus lui parler? Pourquoi?

ANTIGONE, *détourne un peu la tête*
et puis elle ajoute, la voix dure.

Et puis, si elle était trop triste, si elle avait trop l'air
d'attendre tout de même, — le nez sous la porte comme
lorsque je suis sortie, — il vaudrait peut-être mieux la
faire tuer, nounou, sans qu'elle ait mal.

LA NOURRICE

La faire tuer, ma mignonne? Faire tuer ta chienne?
Mais tu es folle ce matin!

ANTIGONE

Non, nounou.

Hémon paraît.

Voilà Hémon. Laisse-nous, nourrice. Et n'oublie pas
que tu m'as juré.

ANTIGONE, *court à Hémon.*

Pardon, Hémon, pour notre dispute d'hier soir et
pour tout. C'est moi qui avais tort. Je te prie de me
pardonner.

La nourrice sort.

HÉMON

Tu sais bien que je t'avais pardonné, à peine avais-tu
claqué la porte. Ton parfum était encore là et je t'avais
déjà pardonné.

Il la tient dans ses bras, il sourit, il la regarde.

A qui l'avais-tu volé, ce parfum?

ANTIGONE

A Ismène.

HÉMON

Et le rouge à lèvres, la poudre, la belle robe?

ANTIGONE

Aussi.

HÉMON

En quel honneur t'étais-tu faite si belle?

ANTIGONE

Je te dirai.

Elle se serre contre lui un peu plus fort.

Oh! mon chéri, comme j'ai été bête. Tout un soir gas-
pillé. Un beau soir.

HÉMON

Nous aurons d'autres soirs, Antigone.

ANTIGONE

Peut-être pas.

HÉMON

Et d'autres disputes aussi. C'est plein de disputes un
bonheur.

ANTIGONE

Un bonheur, oui... Écoute, Hémon.

HÉMON

Oui.

ANTIGONE

Ne ris pas ce matin. Sois grave.

HÉMON

Je suis grave.

ANTIGONE

Et serre-moi. Plus fort que tu ne m'as jamais serrée.
Que toute ta force s'imprime dans moi.

HÉMON

Là. De toute ma force.

ANTIGONE, *dans un souffle.*

C'est bon.

Ils restent un instant sans rien dire, puis elle commence doucement.

Écoute, Hémon.

HÉMON

Oui.

ANTIGONE

Je voulais te dire ce matin... Le petit garçon que nous aurions eu tous les deux...

HÉMON

Oui.

ANTIGONE

Tu sais, je l'aurais bien défendu contre tout.

HÉMON

Oui, Antigone.

ANTIGONE

Oh! je l'aurais serré si fort qu'il n'aurait jamais eu peur, je te le jure. Ni du soir qui vient, ni de l'angoisse du plein soleil immobile, ni des ombres... Notre petit garçon, Hémon! Il aurait eu une maman toute petite et mal peignée — mais plus sûre que toutes les vraies mères du monde avec leurs vraies poitrines et leurs grands tabliers. Tu le crois, n'est-ce pas, toi?

HÉMON

Oui, mon amour.

ANTIGONE

Et tu crois aussi, n'est-ce pas, que toi, tu aurais eu une vraie femme?

HÉMON, *la tient.*

J'ai une vraie femme.

ANTIGONE, *crie soudain, blottie contre lui.*

Oh! tu m'aimais, Hémon, tu m'aimais, tu en es bien
sûr, ce soir-là?

HÉMON, *la berce doucement.*

Quel soir?

ANTIGONE

Tu es bien sûr qu'à ce bal où tu es venu me chercher
dans mon coin, tu ne t'es pas trompé de jeune fille? Tu
es sûr que tu n'as jamais regretté depuis, jamais pensé,
même tout au fond de toi, même une fois, que tu aurais
plutôt dû demander Ismène?

HÉMON

Idiote!

ANTIGONE

Tu m'aimes, n'est-ce pas? Tu m'aimes comme une
femme? Tes bras qui me serrent ne mentent pas? Tes
grandes mains posées sur mon dos ne mentent pas, ni
ton odeur, ni ce bon chaud, ni cette grande confiance
qui m'inonde quand j'ai la tête au creux de ton cou?

HÉMON

Oui, Antigone, je t'aime comme une femme.

ANTIGONE

Je suis noire et maigre. Ismène et rose et dorée
comme un fruit.

HÉMON, *murmure.*

Antigone...

ANTIGONE

Oh! Je suis toute rouge de honte. Mais il faut que je

sache ce matin. Dis la vérité, je t'en prie. Quand tu
penses que je serai à toi, est-ce que tu sens au milieu de
toi comme un grand trou qui se creuse, comme quelque
chose qui meurt.

HÉMON

Oui, Antigone.

ANTIGONE, *dans un souffle, après un temps.*

Moi, je sens comme cela. Et je voulais te dire que
j'aurais été très fière d'être ta femme, ta vraie femme,
sur qui tu aurais posé ta main, le soir, en t'asseyant,
sans penser, comme sur une chose bien à toi.

Elle s'est détachée de lui, elle a pris un autre ton.

Voilà. Maintenant, je vais te dire encore deux choses.
Et quand je les aurai dites, il faudra que tu sortes sans
me questionner. Même si elles te paraissent extraordi-
naires, même si elles te font de la peine. Jure-le-moi.

HÉMON

Qu'est-ce que tu vas me dire encore?

ANTIGONE

Jure-moi d'abord que tu sortiras sans rien me dire.
Sans même me regarder. Si tu m'aimes, jure-le-moi.

Elle le regarde avec son pauvre visage bouleversé.

Tu vois comme je te le demande, jure-le-moi, s'il te
plaît, Hémon... C'est la dernière folie que tu auras à
me passer.

HÉMON, *après un temps.*

Je te le jure.

ANTIGONE

Merci. Alors, voilà. Hier d'abord. Tu me demandais
tout à l'heure pourquoi j'étais venue avec une robe
d'Ismène, ce parfum et ce rouge aux lèvres. J'étais bête.

Je n'étais pas très sûre que tu me désires vraiment et j'avais fait tout cela pour être un peu plus comme les autres filles, pour te donner envie de moi.

HÉMON

C'était pour cela?

ANTIGONE

Oui. Et tu as ri et nous nous sommes disputés et mon mauvais caractère a été le plus fort, je me suis sauvée.

Elle ajoute plus bas.

Mais j'étais venue chez toi pour que tu me prennes hier soir, pour que je sois ta femme avant.

Il recule, il va parler, elle crie.

Tu m'as juré de ne pas me demander pourquoi. Tu m'as juré, Hémon!

Elle dit plus bas, humblement.

Je t'en supplie...

Et elle ajoute, se détournant, dure.

D'ailleurs, je vais te dire. Je voulais être ta femme quand même parce que je t'aime comme cela, moi, très fort, et que — je vais te faire de la peine, ô mon chéri, pardon! — que jamais, jamais, je ne pourrai t'épouser.

Il est resté muet de stupeur, elle court à la fenêtre, elle crie.

Hémon, tu me l'as juré! Sors. Sors tout de suite sans rien dire. Si tu parles, si tu fais un seul pas vers moi, je me jette par cette fenêtre. Je te le jure, Hémon. Je te le jure sur la tête du petit garçon que nous avons eu tous les deux en rêve, du seul petit garçon que j'aurai jamais. Pars maintenant, pars vite. Tu sauras demain. Tu sauras tout à l'heure.

Elle achève avec un tel désespoir qu'Hémon obéit et s'éloigne.

S'il te plaît, pars, Hémon. C'est tout ce que tu peux faire encore pour moi, si tu m'aimes.

Il est sorti. Elle reste sans bouger, le dos à la salle, puis elle referme la fenêtre, elle vient s'asseoir sur une petite chaise au milieu de la scène, et dit doucement, comme étrangement apaisée.

Voilà. C'est fini pour Hémon, Antigone.

ISMÈNE, est entrée, appelant.

Antigone!... Ah, tu es là!

ANTIGONE, sans bouger.

Oui, je suis là.

ISMÈNE

Je ne peux pas dormir. J'avais peur que tu sortes, et que tu tentes de l'enterrer malgré le jour. Antigone, ma petite sœur, nous sommes tous là autour de toi, Hémon, nounou et moi, et Douce, ta chienne... Nous t'aimons et nous sommes vivants, nous, nous avons besoin de toi. Polynice est mort et il ne t'aimait pas. Il a toujours été un étranger pour nous, un mauvais frère. Oublie-le, Antigone, comme il nous avait oubliées. Laisse son ombre, dure errer éternellement sans sépulture, puisque c'est la loi de Créon. Ne tente pas ce qui est au-dessus de tes forces. Tu braves tout toujours, mais tu es toute petite, Antigone. Reste avec nous, ne va pas là-bas cette nuit, je t'en supplie.

ANTIGONE, s'est levée,
un étrange petit sourire
sur les lèvres, elle va vers la porte et du seuil,
doucement, elle dit.

C'est trop tard. Ce matin, quand tu m'as rencontrée, j'en venais.

Elle est sortie, Ismène la suit avec un cri.

ISMÈNE

Antigone!

Dès qu'Ismène est sortie, Créon entre par une autre porte avec son page.

CRÉON

Un garde, dis-tu? Un de ceux qui gardent le cadavre? Fais-le entrer.

Le garde entre. C'est une brute. Pour le moment il est vert de peur.

LE GARDE, *se présente au garde à vous.*

Garde Jonas, de la Deuxième Compagnie.

CRÉON

Qu'est-ce que tu veux?

LE GARDE

Voilà, chef. On a tiré au sort pour savoir celui qui viendrait. Et le sort est tombé sur moi. Alors, voilà, chef. Je suis venu parce qu'on a pensé qu'il valait mieux qu'il n'y en ait qu'un qui explique, et puis parce qu'on ne pouvait pas abandonner le poste tous les trois. On est les trois du piquet de garde, chef, autour du cadavre.

CRÉON

Qu'as-tu à me dire?

LE GARDE

On est trois, chef. Je ne suis pas tout seul. Les autres c'est Durand et le garde de première classe Boudousse.

CRÉON

Pourquoi n'est-ce pas le première classe qui est venu?

LE GARDE

N'est-ce pas, chef? Je l'ai dit tout de suite, moi. C'est le première classe qui doit y aller. Quand il n'y a pas de gradé, c'est le première classe qui est responsable. Mais les autres ils ont dit non et ils ont voulu tirer au sort. Faut-il que j'aille chercher le première classe, chef?

CRÉON

Non. Parle, toi, puisque tu es là.

LE GARDE

J'ai dix-sept ans de service. Je suis engagé volontaire, la médaille, deux citations. Je suis bien noté, chef. Moi je suis « service ». Je ne connais que ce qui est commandé. Mes supérieurs ils disent toujours : « Avec Jonas on est tranquille. »

CRÉON

C'est bon. Parle. De quoi as-tu peur?

LE GARDE

Régulièrement ça aurait dû être le première classe. Moi je suis proposé première classe, mais je ne suis pas encore promu. Je devais être promu en juin.

CRÉON

Vas-tu parler enfin? S'il est arrivé quelque chose, vous êtes tous les trois responsables. Ne cherche plus qui devrait être là.

LE GARDE

Hé bien, voilà, chef : le cadavre... On a veillé pourtant! On avait la relève de deux heures, la plus dure. Vous savez ce que c'est, chef, au moment où la nuit va finir. Ce plomb entre les yeux, la nuque qui tire, et puis toutes ces ombres qui bougent et le brouillard du petit matin qui se lève... Ah! ils ont bien choisi leur heure!... On était là, on parlait, on battait la semelle. On ne dormait pas, chef, ça on peut vous le jurer tous les trois qu'on ne dormait pas! D'ailleurs, avec le froid qu'il faisait... Tout d'un coup, moi je regarde le cadavre...

On était à deux pas, mais moi je le regardais de temps en temps tout de même... Je suis comme ça, moi, chef, je suis méticuleux. C'est pour ça que mes supérieurs ils disent : « Avec Jonas... »

Un geste de Créon l'arrête, il crie soudain.

C'est moi qui l'ai vu le premier, chef! Les autres vous le diront, c'est moi qui ai donné le premier l'alarme!

CRÉON

L'alarme? Pourquoi?

LE GARDE

Le cadavre, chef. Quelqu'un l'avait recouvert. Oh! pas grand-chose. Ils n'avaient pas eu le temps avec nous autres à côté. Seulement un peu de terre... Mais assez tout de même pour le cacher aux vautours.

CRÉON, *va à lui.*

Tu es sûr que ce n'est pas une bête en grattant?

LE GARDE

Non, chef. On a d'abord espéré ça, nous aussi. Mais la terre était jetée sur lui, selon les rites. C'est quelqu'un qui savait ce qu'il faisait.

CRÉON

Qui a osé? Qui a été assez fou pour braver ma loi? As-tu relevé des traces?

LE GARDE

Rien, chef. Rien qu'un pas plus léger qu'un passage d'oiseau. Après, en cherchant mieux, le garde Durand a trouvé plus loin une pelle, une petite pelle d'enfant toute vieille, toute rouillée. On a pensé que ça ne pouvait pas être un enfant qui avait fait le coup. Le première classe l'a gardée tout de même pour l'enquête.

CRÉON, *rêve un peu.*

Un enfant... L'opposition brisée qui sourd et mine

déjà partout. Les amis de Polynice avec leur or bloqué dans Thèbes, les chefs de la plèbe puant l'ail, soudainement alliés aux princes, et les prêtres essayant de pêcher un petit quelque chose au milieu de tout cela... Un enfant! Ils ont dû penser que cela serait plus touchant. Je le vois d'ici, leur enfant, avec sa gueule de tueur appointé et la petite pelle soigneusement enveloppée dans du papier sous sa veste. A moins qu'ils n'aient dressé un vrai enfant, avec des phrases... Une innocence inestimable pour le parti. Un vrai petit garçon pâle qui crachera devant mes fusils. Un précieux sang bien frais sur mes mains, double aubaine.

Il va à l'homme.

Mais, ils ont des complices, et dans ma garde peut-être. Écoute bien, toi...

LE GARDE

Chef, on a fait tout ce qu'on devait faire! Durand s'est assis une demi-heure parce qu'il avait mal aux pieds, mais moi, chef, je suis resté tout le temps debout. Le première classe vous le dira.

CRÉON

A qui avez-vous déjà parlé de cette affaire?

LE GARDE

A personne, chef. On a tout de suite tiré au sort, et je suis venu.

CRÉON

Écoute bien. Votre garde est doublée. Renvoyez la relève. Voilà l'ordre. Je ne veux que vous près du cadavre. Et pas un mot. Vous êtes coupables d'une négligence, vous serez punis de toute façon, mais si tu parles, si le bruit court dans la ville qu'on a recouvert le cadavre de Polynice, vous mourrez tous les trois.

LE GARDE, *gueule.*

On n'a pas parlé, chef, je vous le jure! Mais moi,

j'étais ici et peut-être que les autres, ils l'ont déjà dit
à la relève...

> *Il sue à grosses gouttes, il bafouille.*

Chef, j'ai deux enfants. Il y en a un qui est tout petit.
Vous témoignerez pour moi que j'étais ici, chef, devant
le conseil de guerre. J'étais ici, moi, avec vous! J'ai
un témoin! Si on a parlé, ça sera les autres, ça ne sera
pas moi! J'ai un témoin, moi!

CRÉON

Va vite. Si personne ne sait, tu vivras.

*Le garde sort en courant. Créon reste un instant muet.
Soudain, il murmure.*

Un enfant.

> *Il a pris le petit page par l'épaule.*

Viens, petit. Il faut que nous allions raconter tout
cela maintenant... Et puis, la jolie besogne commencera.
Tu mourrais, toi, pour moi? Tu crois que tu irais avec
ta petite pelle?

*Le petit le regarde. Il sort avec lui, lui caressant la
tête.*

Oui, bien sûr, tu irais tout de suite toi aussi...

> *On l'entend soupirer encore en sortant.*

Un enfant...

> *Ils sont sortis. Le chœur entre.*

LE CHŒUR

Et voilà. Maintenant le ressort est bandé. Cela n'a
plus qu'à se dérouler tout seul. C'est cela qui est commode
dans la tragédie, on donne le petit coup de pouce pour
que cela démarre, rien, un regard pendant une seconde
à une fille qui passe et lève les bras dans la rue, une
envie d'honneur un beau matin, au réveil, comme de
quelque chose qui se mange, une question de trop qu'on
se pose un soir... C'est tout. Après, on n'a plus qu'à
laisser faire. On est tranquille. Cela roule tout seul.

C'est minutieux, bien huilé depuis toujours. La mort, la trahison, le désespoir sont là, tout prêts et les éclats, et les orages, et les silences; tous les silences : le silence quand le bras du bourreau se lève à la fin; le silence au commencement, quand les deux amants sont nus l'un en face de l'autre pour la première fois, sans oser bouger tout de suite, dans la chambre sombre, le silence quand les cris de la foule éclatent autour du vainqueur — et on dirait un film dont le son s'est enrayé, toutes ces bouches ouvertes dont il ne sort rien, toute cette clameur qui n'est qu'une image, et le vainqueur, déjà vaincu, seul au milieu de son silence...

C'est propre, la tragédie. C'est reposant, c'est sûr... Dans le drame, avec ces traîtres, avec ces méchants acharnés, cette innocence persécutée, ces vengeurs, ces terre-neuve, ces lueurs d'espoir, cela devient épouvantable de mourir, comme un accident. On aurait peut-être pu se sauver, le bon jeune homme aurait peut-être pu arriver à temps avec les gendarmes. Dans la tragédie on est tranquille. D'abord, on est entre soi. On est tous innocents en somme! Ce n'est pas parce qu'il y en a un qui tue et l'autre qui est tué. C'est une question de distribution. Et puis, surtout, c'est reposant, la tragédie, parce qu'on sait qu'il n'y a plus d'espoir, le sale espoir; qu'on est pris, qu'on est enfin pris comme un rat, avec tout le ciel sur son dos, et qu'on n'a plus qu'à crier, — pas à gémir, non, pas à se plaindre, — à gueuler à pleine voix ce qu'on avait à dire, qu'on n'avait jamais dit et qu'on ne savait peut-être même pas encore. Et pour rien : pour se le dire à soi, pour l'apprendre, soi. Dans le drame, on se débat parce qu'on espère en sortir. C'est ignoble, c'est utilitaire. Là, c'est gratuit. C'est pour les rois. Et il n'y a plus rien à tenter, enfin!

Antigone est entrée, poussée par les gardes.

LE CHŒUR

Alors, voilà, cela commence. La petite Antigone est

prise. La petite Antigone va pouvoir être elle-même
pour la première fois.

*Le chœur disparaît, tandis que les gardes poussent Anti-
gone en scène.*

LE GARDE, *qui a repris tout son aplomb.*

Allez, allez, pas d'histoires! Vous vous expliquerez
devant le chef. Moi, je ne connais que la consigne. Ce
que vous aviez à faire là, je ne veux pas le savoir. Tout
le monde a des excuses, tout le monde a quelque chose
à objecter. S'il fallait écouter les gens, s'il fallait essayer
de comprendre, on serait propres. Allez, allez! Tenez-la,
vous autres, et pas d'histoires! Moi, ce qu'elle a à dire,
je ne veux pas le savoir!

ANTIGONE

Dis-leur de me lâcher, avec leurs sales mains. Ils me
font mal.

LE GARDE

Leurs sales mains? Vous pourriez être polie, Made-
moiselle... Moi, je suis poli.

ANTIGONE

Dis-leur de me lâcher. Je suis la fille d'Œdipe, je suis
Antigone. Je ne me sauverai pas.

LE GARDE

La fille d'Œdipe, oui! Les putains qu'on ramasse à
la garde de nuit, elles disent aussi de se méfier, qu'elles
sont la bonne amie du préfet de police!

Ils rigolent.

ANTIGONE

Je veux bien mourir, mais pas qu'ils me touchent!

LE GARDE

Et les cadavres, dis, et la terre, ça ne te fait pas peur

à toucher? Tu dis « leurs sales mains »... Regarde un peu les tiennes !

Antigone regarde ses mains tenues par les menottes avec un petit sourire. Elles sont pleines de terre.

LE GARDE

On te l'avait prise, ta pelle? Il a fallu que tu refasses ça avec tes ongles, la deuxième fois? Ah! cette audace. Je tourne le dos une seconde, je te demande une chique, et allez, le temps de me la caler dans la joue, le temps de dire merci, elle était là, à gratter comme une petite hyène. Et en plein jour! Et c'est qu'elle se débattait, cette garce, quand j'ai voulu la prendre! C'est qu'elle voulait me sauter aux yeux! Elle criait qu'il fallait qu'elle finisse... C'est une folle, oui!

LE DEUXIÈME GARDE

J'en ai arrêté une autre, de folle, l'autre jour. Elle montrait son cul aux gens.

LE GARDE

Dis, Boudousse, qu'est-ce qu'on va se payer comme gueuleton tous les trois, pour fêter ça!

LE DEUXIÈME GARDE

Chez la Tordue. Il est bon, son rouge.

LE TROISIÈME GARDE

On a quartier libre dimanche. Si on emmenait les femmes?

LE GARDE

Non, entre nous, qu'on rigole... Avec les femmes, il y a toujours des histoires, et puis les moutards qui veulent pisser. Ah! dis, Boudousse, tout à l'heure, on ne croyait pas qu'on aurait envie de rigoler comme ça, nous autres!

LE DEUXIÈME GARDE

Ils vont peut-être nous donner une récompense.

LE GARDE

Ça se peut, si c'est important.

LE TROISIÈME GARDE

Flanchard, de la troisième, quand il a mis la main sur l'incendiaire, le mois dernier, il a eu le mois double.

LE DEUXIÈME GARDE

Ah, dis donc! Si on a le mois double, je propose: au lieu d'aller chez la Tordue, on va au Palais arabe.

LE GARDE

Pour boire? T'es pas fou? Ils te vendent la bouteille le double au Palais. Pour monter, d'accord. Écoutez-moi, je vais vous dire: on va d'abord chez la Tordue, on se les cale comme il faut et après on va au Palais. Dis, Boudousse, tu te rappelles la grosse, du Palais?

LE DEUXIÈME GARDE

Ah! ce que t'étais saoul, toi, ce jour-là!

LE TROISIÈME GARDE

Mais nos femmes, si on a le mois double, elles le sauront. Si ça se trouve, on sera peut-être publiquement félicités.

LE GARDE

Alors on verra. La rigolade c'est autre chose. S'il y a une cérémonie dans la cour de la caserne, comme pour les décorations, les femmes viendront aussi et les gosses. Et alors on ira tous chez la Tordue.

LE DEUXIÈME GARDE

Oui, mais il faudra lui commander le menu d'avance.

ANTIGONE, *demande d'une petite voix.*

Je voudrais m'asseoir un peu, s'il vous plaît.

LE GARDE, *après un temps de réflexion.*

C'est bon, qu'elle s'asseye. Mais ne la lâchez pas, vous autres.

Créon entre, le garde gueule aussitôt.

LE GARDE

Garde à vous!

CRÉON, *s'est arrêté, surpris.*

Lâchez cette jeune fille. Qu'est-ce que c'est?

LE GARDE

C'est le piquet de garde, chef. On est venu avec les camarades.

CRÉON

Qui garde le corps?

LE GARDE

On a appelé la relève, chef.

CRÉON

Je t'avais dit de la renvoyer! Je t'avais dit de ne rien dire.

LE GARDE

On n'a rien dit, chef. Mais comme on a arrêté celle-là, on a pensé qu'il fallait qu'on vienne. Et cette fois on n'a pas tiré au sort. On a préféré venir tous les trois.

CRÉON

Imbéciles!

A Antigone.

Où t'ont-ils arrêtée?

LE GARDE

Près du cadavre, chef.

CRÉON

Qu'allais-tu faire près du cadavre de ton frère? Tu savais que j'avais interdit de l'approcher.

LE GARDE

Ce qu'elle faisait, chef? C'est pour ça qu'on vous l'amène. Elle grattait la terre avec ses mains. Elle était en train de le recouvrir encore une fois.

CRÉON

Sais-tu bien ce que tu es en train de dire, toi?

LE GARDE

Chef, vous pouvez demander aux autres. On avait dégagé le corps à mon retour; mais avec le soleil qui chauffait, comme il commençait à sentir, on s'était mis sur une petite hauteur, pas loin, pour être dans le vent. On se disait qu'en plein jour on ne risquait rien. Pourtant on avait décidé, pour être plus sûrs, qu'il y en aurait toujours un de nous trois qui le regarderait. Mais à midi, en plein soleil, et puis avec l'odeur qui montait, depuis que le vent était tombé, c'était comme un coup de massue. J'avais beau écarquiller les yeux, ça tremblait comme de la gélatine, je voyais plus. Je vais au camarade lui demander une chique pour passer ça... Le temps que je me la cale à la joue, chef, le temps que je lui dise merci, je me retourne : elle était là à gratter avec ses mains. En plein jour! Elle devait bien penser qu'on ne pouvait pas ne pas la voir. Et quand elle a vu que je lui courais dessus, vous croyez qu'elle s'est arrêtée, qu'elle a essayé de se sauver peut-être? Non. Elle a continué de toutes ses forces, aussi vite qu'elle pouvait, comme si elle ne me voyait pas arriver. Et quand je l'ai empoignée, elle se débattait comme une diablesse, elle voulait continuer encore, elle me criait de la laisser, que le corps n'était pas encore tout à fait recouvert...

CRÉON, *à Antigone.*

C'est vrai?

ANTIGONE

Oui, c'est vrai.

LE GARDE

On a redécouvert le corps, comme de juste, et puis on a passé la relève, sans parler de rien, et on est venu vous l'amener, chef. Voilà.

CRÉON

Et cette nuit, la première fois, c'était toi aussi?

ANTIGONE

Oui. C'était moi. Avec une petite pelle de fer qui nous servait à faire des châteaux de sable sur la plage, pendant les vacances. C'était justement la pelle de Polynice. Il avait gravé son nom au couteau sur le manche. C'est pour cela que je l'ai laissée près de lui. Mais ils l'ont prise. Alors, la seconde fois, j'ai dû recommencer avec mes mains.

LE GARDE

On aurait dit une petite bête qui grattait. Même qu'au premier coup d'œil, avec l'air chaud qui tremblait, le camarade dit : « Mais non, c'est une bête. » « Penses-tu, je lui dis, c'est trop fin pour une bête. C'est une fille. »

CRÉON

C'est bien. On vous demandera peut-être un rapport tout à l'heure. Pour le moment, laissez-moi seul avec elle. Conduis ces hommes à côté, petit. Et qu'ils restent au secret jusqu'à ce que je revienne les voir.

LE GARDE

Faut-il lui remettre les menottes, chef?

CRÉON

Non.

Les gardes sont sortis, précédés par le petit page.
Créon et Antigone sont seuls l'un en face de l'autre.

CRÉON

Avais-tu parlé de ton projet à quelqu'un?

ANTIGONE

Non.

CRÉON

As-tu rencontré quelqu'un sur ta route?

ANTIGONE

Non, personne.

CRÉON

Tu en es bien sûre?

ANTIGONE

Oui.

CRÉON

Alors, écoute : tu vas rentrer chez toi, te coucher,
dire que tu es malade, que tu n'es pas sortie depuis
hier. Ta nourrice dira comme toi. Je ferai disparaître
ces trois hommes.

ANTIGONE

Pourquoi? Puisque vous savez bien que je recommen-
cerai.

Un silence. Ils se regardent.

CRÉON

Pourquoi as-tu tenté d'enterrer ton frère?

ANTIGONE

Je le devais.

CRÉON

Je l'avais interdit.

ANTIGONE, *doucement.*

Je le devais tout de même. Ceux qu'on n'enterre pas errent éternellement sans jamais trouver de repos. Si mon frère vivant était rentré harassé d'une longue chasse, je lui aurais enlevé ses chaussures, je lui aurais fait à manger, je lui aurais préparé son lit... Polynice aujourd'hui a achevé sa chasse. Il rentre à la maison où mon père et ma mère, et Etéocle aussi l'attendent. Il a droit au repos.

CRÉON

C'était un révolté et un traître, tu le savais.

ANTIGONE

C'était mon frère.

CRÉON

Tu avais entendu proclamer l'édit aux carrefours, tu avais lu l'affiche sur tous les murs de la ville?

ANTIGONE

Oui.

CRÉON

Tu savais le sort qui y était promis à celui, quel qu'il soit, qui oserait lui rendre les honneurs funèbres?

ANTIGONE

Oui, je le savais.

CRÉON

Tu as cru peut-être que d'être la fille d'Œdipe, la

fille de l'orgueil d'Œdipe, c'était assez pour être au-dessus de la loi.

ANTIGONE

Non. Je n'ai pas cru cela.

CRÉON

La loi est d'abord faite pour toi, Antigone, la loi est d'abord faite pour les filles des rois!

ANTIGONE

Si j'avais été une servante en train de faire sa vaisselle, quand j'ai entendu lire l'édit, j'aurais essuyé l'eau grasse de mes bras et je serais sortie avec mon tablier pour aller enterrer mon frère.

CRÉON

Ce n'est pas vrai. Si tu avais été une servante, tu n'aurais pas douté que tu allais mourir et tu serais restée à pleurer ton frère chez toi. Seulement tu as pensé que tu étais de race royale, ma nièce et la fiancée de mon fils, et que, quoi qu'il arrive, je n'oserais pas te faire mourir.

ANTIGONE

Vous vous trompez. J'étais certaine que vous me feriez mourir au contraire.

CRÉON, *la regarde et murmure soudain.*

L'orgueil d'Œdipe. Tu es l'orgueil d'Œdipe. Oui, maintenant que je l'ai retrouvé au fond de tes yeux, je te crois. Tu as dû penser que je te ferais mourir. Et cela te paraissait un dénouement tout naturel pour toi, orgueilleuse! Pour ton père non plus — je ne dis pas le bonheur, il n'en était pas question — le malheur humain, c'était trop peu. L'humain vous gêne aux entournures dans la famille. Il vous faut un tête-à-tête avec le destin et la mort. Et tuer votre père et coucher avec votre mère et apprendre tout cela après, avidement,

mot par mot. Quel breuvage, hein, les mots qui vous
condamnent? Et comme on les boit goulûment quand
on s'appelle Œdipe, ou Antigone. Et le plus simple
après, c'est encore de se crever les yeux et d'aller men-
dier avec ses enfants sur les routes... Eh bien, non. Ces
temps sont révolus pour Thèbes. Thèbes a droit maintenant à un prince sans histoire. Moi, je m'appelle seulement Créon, Dieu merci. J'ai mes deux pieds par terre,
mes deux mains enfoncées dans mes poches et, puisque
je suis roi, j'ai résolu, avec moins d'ambition que ton
père, de m'employer tout simplement à rendre l'ordre
de ce monde un peu moins absurde, si c'est possible.
Ce n'est même pas une aventure, c'est un métier pour
tous les jours et pas toujours drôle, comme tous les
métiers. Mais puisque je suis là pour le faire, je vais le
faire... Et si demain un messager crasseux dévale du
fond des montagnes pour m'annoncer qu'il n'est pas
très sûr non plus de ma naissance, je le prierai tout
simplement de s'en retourner d'où il vient et je ne m'en
irai pas pour si peu regarder ta tante sous le nez et
me mettre à confronter les dates. Les rois ont autre
chose à faire que du pathétique personnel, ma petite-
fille.

Il a été à elle, il lui prend le bras.

Alors, écoute-moi bien. Tu es Antigone, tu es la fille
d'Œdipe, soit, mais tu as vingt ans et il n'y a pas longtemps encore, tout cela se serait réglé par du pain sec
et une paire de gifles.

Il la regarde souriant.

Te faire mourir! Tu ne t'es pas regardée, moineau!
Tu es trop maigre. Grossis un peu, plutôt, pour faire
un gros garçon à Hémon. Thèbes en a besoin plus que
de ta mort, je te l'assure. Tu vas rentrer chez toi tout
de suite pour faire ce que je t'ai dit et te taire. Je me
charge du silence des autres. Allez, va! Et ne me fou-
droie pas comme cela du regard. Tu me prends pour
une brute, c'est entendu, et tu dois penser que je suis
décidément bien prosaïque. Mais je t'aime bien tout de

même avec ton sale caractère. N'oublie pas que c'est moi qui t'ai fait cadeau de ta première poupée, il n'y a pas si longtemps.

Antigone ne répond pas. Elle va sortir. Il l'arrête.

CRÉON

Antigone! C'est par cette porte qu'on regagne ta chambre. Où t'en vas-tu par là?

ANTIGONE, *s'est arrêtée,*
elle lui répond doucement, sans forfanterie.

Vous le savez bien...

Un silence. Ils se regardent encore debout l'un en face de l'autre.

CRÉON, *murmure, comme pour lui.*

Quel jeu joues-tu?

ANTIGONE

Je ne joue pas.

CRÉON

Tu ne comprends donc pas que si quelqu'un d'autre que ces trois brutes sait tout à l'heure ce que tu as tenté de faire, je serai obligé de te faire mourir? Si tu te tais maintenant, si tu renonces à cette folie, j'ai une chance de te sauver, mais je ne l'aurai plus dans cinq minutes. Le comprends-tu?

ANTIGONE

Il faut que j'aille enterrer mon frère que ces hommes ont découvert.

CRÉON

Tu irais refaire ce geste absurde? Il y a une autre garde autour du corps de Polynice et, même si tu parviens à le recouvrir encore, on dégagera son cadavre, tu le sais bien. Que peux-tu donc, sinon t'ensanglanter encore les ongles et te faire prendre?

ANTIGONE

Rien d'autre que cela, je le sais. Mais cela, du moins, je le peux. Et il faut faire ce que l'on peut.

CRÉON

Tu y crois donc vraiment, toi, à cet enterrement dans les règles? A cette ombre de ton frère condamnée à errer toujours si on ne jette pas sur le cadavre un peu de terre avec la formule du prêtre? Tu leur as déjà entendu la réciter, aux prêtres de Thèbes, la formule? Tu as vu ces pauvres têtes d'employés fatigués écourtant les gestes, avalant les mots, bâclant ce mort pour en prendre un autre avant le repas de midi?

ANTIGONE

Oui, je les ai vus.

CRÉON

Est-ce que tu n'as jamais pensé alors que si c'était un être que tu aimais vraiment, qui était là, couché dans cette boîte, tu te mettrais à hurler tout d'un coup? A leur crier de se taire, de s'en aller?

ANTIGONE

Si, je l'ai pensé.

CRÉON

Et tu risques la mort maintenant parce que j'ai refusé à ton frère ce passeport dérisoire, ce bredouillage en série sur sa dépouille, cette pantomime dont tu aurais été la première à avoir honte et mal si on l'avait jouée. C'est absurde!

ANTIGONE

Oui, c'est absurde.

CRÉON

Pourquoi fais-tu ce geste, alors? Pour les autres, pour ceux qui y croient? Pour les dresser contre moi?

ANTIGONE

Non.

CRÉON

Ni pour les autres, ni pour ton frère? Pour qui alors?

ANTIGONE

Pour personne. Pour moi.

CRÉON, *la regarde en silence.*

Tu as donc bien envie de mourir? Tu as déjà l'air d'un petit gibier pris.

ANTIGONE

Ne vous attendrissez pas sur moi. Faites comme moi. Faites ce que vous avez à faire. Mais si vous êtes un être humain, faites-le vite. Voilà tout ce que je vous demande. Je n'aurai pas du courage éternellement, c'est vrai.

CRÉON, *se rapproche.*

Je veux te sauver, Antigone.

ANTIGONE

Vous êtes le roi, vous pouvez tout, mais cela, vous ne le pouvez pas.

CRÉON

Tu crois?

ANTIGONE

Ni me sauver, ni me contraindre.

CRÉON

Orgueilleuse! Petite Œdipe!

ANTIGONE

Vous pouvez seulement me faire mourir.

CRÉON

Et si je te fais torturer?

ANTIGONE

Pourquoi? Pour que je pleure, que je demande grâce, pour que je jure tout ce qu'on voudra et que je recommence après, quand je n'aurai plus mal?

CRÉON, *lui serre le bras.*

Écoute-moi bien. J'ai le mauvais rôle, c'est entendu, et tu as le bon. Et tu le sens. Mais n'en profite tout de même pas trop, petite peste... Si j'étais une bonne brute ordinaire de tyran, il y aurait déjà longtemps qu'on t'aurait arraché la langue, tiré les membres aux tenailles, ou jetée dans un trou. Mais tu vois dans mes yeux quelque chose qui hésite, tu vois que je te laisse parler au lieu d'appeler mes soldats; alors, tu nargues, tu attaques tant que tu peux. Où veux-tu en venir, petite furie?

ANTIGONE

Lâchez-moi. Vous me faites mal au bras avec votre main.

CRÉON, *qui serre plus fort.*

Non. Moi, je suis le plus fort comme cela, j'en profite aussi.

ANTIGONE, *pousse un petit cri.*

Aïe!

CRÉON, *dont les yeux rient.*

C'est peut-être ce que je devrais faire, après tout, tout simplement, te tordre le poignet, te tirer les cheveux comme on fait aux filles dans les jeux.

Il la regarde encore. Il redevient grave. Il lui dit tout près.

Je suis ton oncle, c'est entendu, mais nous ne sommes

pas tendres les uns pour les autres, dans la famille. Cela ne te semble pas drôle, tout de même, ce roi bafoué qui t'écoute, ce vieux homme qui peut tout et qui en a vu tuer d'autres, je t'assure, et d'aussi attendrissants que toi, et qui est là, à se donner toute cette peine pour essayer de t'empêcher de mourir?

ANTIGONE, *après un temps.*

Vous serrez trop, maintenant. Cela ne me fait même plus mal. Je n'ai plus de bras.

CRÉON, *la regarde et la lâche
avec un petit sourire. Il murmure.*

Dieu sait pourtant si j'ai autre chose à faire aujourd'hui, mais je vais tout de même perdre le temps qu'il faudra et te sauver, petite peste.

Il la fait asseoir sur une chaise au milieu de la pièce. Il enlève sa veste, il s'avance vers elle, lourd, puissant, en bras de chemise.

Au lendemain d'une révolution ratée, il y a du pain sur la planche, je te l'assure. Mais les affaires urgentes attendront. Je ne veux pas te laisser mourir dans une histoire de politique. Tu vaux mieux que cela. Parce que ton Polynice, cette ombre éplorée et ce corps qui se décompose entre ses gardes et tout ce pathétique qui t'enflamme, ce n'est qu'une histoire de politique. D'abord je ne suis pas tendre, mais je suis délicat : j'aime ce qui est propre, net, bien lavé. Tu crois que cela ne me dégoûte pas autant que toi, cette viande qui pourrit au soleil? Le soir, quand le vent vient de la mer, on la sent déjà du palais. Cela me soulève le cœur. Pourtant, je ne vais même pas fermer ma fenêtre. C'est ignoble, et je peux te le dire à toi, c'est bête, monstrueusement bête, mais il faut que tout Thèbes sente cela pendant quelque temps. Tu penses bien que je l'aurais fait enterrer, ton frère, ne fût-ce que pour l'hygiène! Mais pour que les brutes que je gouverne comprennent, il faut que cela pue le cadavre de Polynice dans toute la ville, pendant un mois.

ANTIGONE

Vous êtes odieux!

CRÉON

Oui, mon petit. C'est le métier qui le veut. Ce qu'on peut discuter, c'est s'il faut le faire ou ne pas le faire. Mais si on le fait, il faut le faire comme cela.

ANTIGONE

Pourquoi le faites-vous?

CRÉON

Un matin, je me suis réveillé roi de Thèbes. Et Dieu sait si j'aimais autre chose dans la vie que d'être puissant...

ANTIGONE

Il fallait dire non, alors!

CRÉON

Je le pouvais. Seulement, je me suis senti tout d'un coup comme un ouvrier qui refusait un ouvrage. Cela ne m'a pas paru honnête. J'ai dit oui.

ANTIGONE

Eh bien, tant pis pour vous! Moi, je n'ai pas dit « oui ». Qu'est-ce que vous voulez que cela me fasse, à moi, votre politique, votre nécessité, vos pauvres histoires? Moi, je peux dire « non » encore à tout ce que je n'aime pas et je suis seul juge. Et vous, avec votre couronne, avec vos gardes, avec votre attirail, vous pouvez seulement me faire mourir, parce que vous avez dit « oui ».

CRÉON

Écoute-moi.

ANTIGONE

Si je veux, moi, je peux ne pas vous écouter. Vous
avez dit « oui ». Je n'ai plus rien à apprendre de vous.
Pas vous. Vous êtes là à boire mes paroles. Et si vous
n'appelez pas vos gardes, c'est pour m'écouter jusqu'au
bout.

CRÉON

Tu m'amuses!

ANTIGONE

Non. Je vous fais peur. C'est pour cela que vous
essayez de me sauver. Ce serait tout de même plus
commode de garder une petite Antigone vivante et
muette dans ce palais. Vous êtes trop sensible pour faire
un bon tyran, voilà tout. Mais vous allez me faire mourir tout de même tout à l'heure, vous le savez, et c'est
pour cela que vous avez peur. C'est laid un homme qui
a peur.

CRÉON, *sourdement*.

Eh bien, oui, j'ai peur d'être obligé de te faire tuer
si tu t'obstines. Et je ne le voudrais pas.

ANTIGONE

Moi, je ne suis pas obligée de faire ce que je ne voudrais pas! Vous n'auriez pas voulu non plus, peut-être,
refuser une tombe à mon frère? Dites-le donc, que vous
ne l'auriez pas voulu?

CRÉON

Je te l'ai dit.

ANTIGONE

Et vous l'avez fait tout de même. Et maintenant,
vous allez me faire tuer sans le vouloir. Et c'est cela,
être roi!

CRÉON

Oui, c'est cela!

ANTIGONE

Pauvre Créon! avec mes ongles cassés et pleins de
terre et les bleus que tes gardes m'ont faits aux bras,
avec ma peur qui tord le ventre, moi je suis reine.

CRÉON

Alors, aie pitié de moi, vis. Le cadavre de ton frère
qui pourrit sous mes fenêtres, c'est assez payé pour que
l'ordre règne dans Thèbes. Mon fils t'aime. Ne m'oblige
pas à payer avec toi encore. J'ai assez payé.

ANTIGONE

Non. Vous avez dit « oui ». Vous ne vous arrêterez
jamais de payer maintenant!

CRÉON, *la secoue soudain, hors de lui.*

Mais, bon Dieu! Essaie de comprendre une minute,
toi aussi, petite idiote! J'ai bien essayé de te comprendre,
moi. Il faut pourtant qu'il y en ait qui disent oui. Il faut
pourtant qu'il y en ait qui mènent la barque. Cela prend
l'eau de toutes parts, c'est plein de crimes, de bêtise, de
misère... Et le gouvernail est là qui ballotte. L'équipage
ne veut plus rien faire, il ne pense qu'à piller la cale et
les officiers sont déjà en train de se construire un petit
radeau confortable, rien que pour eux, avec toute la
provision d'eau douce pour tirer au moins leurs os de
là. Et le mât craque, et le vent siffle et les voiles vont
se déchirer et toutes ces brutes vont crever toutes
ensemble, parce qu'elles ne pensent qu'à leur peau, à
leur précieuse peau et à leurs petites affaires. Crois-tu,
alors, qu'on a le temps de faire le raffiné, de savoir s'il
faut dire « oui » ou « non », de se demander s'il ne faudra
pas payer trop cher un jour et si on pourra encore être
un homme après? On prend le bout de bois, on redresse
devant la montagne d'eau, on gueule un ordre et on
tire dans le tas, sur le premier qui s'avance. Dans le tas!
Cela n'a pas de nom. C'est comme la vague qui vient de
s'abattre sur le pont devant nous; le vent qui vous gifle,

et la chose qui tombe dans le groupe n'a pas de nom. C'était peut-être celui qui t'avait donné du feu en souriant la veille. Il n'a plus de nom. Et toi non plus, tu n'as plus de nom, cramponné à la barre. Il n'y a plus que le bateau qui ait un nom et la tempête. Est-ce que tu le comprends, cela?

ANTIGONE, *secoue la tête.*

Je ne veux pas comprendre. C'est bon pour vous. Moi je suis là pour autre chose que pour comprendre. Je suis là pour vous dire non et pour mourir.

CRÉON

C'est facile de dire non!

ANTIGONE

Pas toujours.

CRÉON

Pour dire oui, il faut suer et retrousser ses manches, empoigner la vie à pleines mains et s'en mettre jusqu'aux coudes. C'est facile de dire non, même si on doit mourir. Il n'y a qu'à ne pas bouger et attendre. Attendre pour vivre, attendre même pour qu'on vous tue. C'est trop lâche. C'est une invention des hommes. Tu imagines un monde où les arbres aussi auraient dit non contre la sève, où les bêtes auraient dit non contre l'instinct de la chasse ou de l'amour? Les bêtes, elles au moins, sont bonnes et simples et dures. Elles vont, se poussant, les unes après les autres, courageusement, sur le même chemin. Et si elles tombent, les autres passent et il peut s'en perdre autant que l'on veut, il en restera toujours une de chaque espèce prête à refaire des petits et à reprendre le même chemin avec le même courage, toute pareille à celles qui sont passées avant.

ANTIGONE

Quel rêve, hein? pour un roi : des bêtes! Ce serait si simple.

Un silence. Créon la regarde.

CRÉON

Tu me méprises, n'est-ce pas?

Elle ne répond pas, il continue comme pour lui.

C'est drôle. Je l'ai souvent imaginé, ce dialogue avec un petit jeune homme pâle qui aurait essayé de me tuer et dont je ne pourrais rien tirer après que du mépris. Mais je ne pensais pas que ce serait avec toi et pour quelque chose d'aussi bête...

Il a pris sa tête dans ses mains. On sent qu'il est à bout de forces.

Écoute-moi tout de même pour la dernière fois. Mon rôle n'est pas bon, mais c'est mon rôle et je vais te faire tuer. Seulement, avant, je veux que toi aussi tu sois bien sûre du tien. Tu sais pourquoi tu vas mourir, Antigone? Tu sais au bas de quelle histoire sordide tu vas signer pour toujours ton petit nom sanglant?

ANTIGONE

Quelle histoire?

CRÉON

Celle d'Étéocle et de Polynice, celle de tes frères. Non, tu crois la savoir, tu ne la sais pas. Personne ne la sait dans Thèbes, que moi. Mais il me semble que toi, ce matin, tu as aussi le droit de l'apprendre.

Il rêve un temps, la tête dans ses mains, accoudé sur ses genoux. On l'entend murmurer.

Ce n'est pas bien beau, tu vas voir.

Et il commence sourdement sans regarder Antigone.

Que te rappelles-tu de tes frères, d'abord? Deux compagnons de jeux qui te méprisaient sans doute, qui te cassaient tes poupées, se chuchotant éternellement des mystères à l'oreille l'un de l'autre pour te faire enrager?

ANTIGONE

C'étaient des grands...

CRÉON

Après, tu as dû les admirer avec leurs premières ciga-
rettes, leurs premiers pantalons longs et puis ils ont
commencé à sortir le soir, à sentir l'homme, et ils ne
t'ont plus regardée du tout.

ANTIGONE

J'étais une fille...

CRÉON

Tu voyais bien ta mère pleurer, ton père se mettre
en colère, tu entendais claquer les portes à leur retour,
et leurs ricanements dans les couloirs. Et ils passaient
devant toi, goguenards et veules, sentant le vin.

ANTIGONE

Une fois, je m'étais cachée derrière une porte, c'était
le matin, nous venions de nous lever et eux, ils ren-
traient. Polynice m'a vue, il était tout pâle, les yeux
brillants et si beau dans son vêtement du soir! Il m'a
dit : « Tiens, tu es là, toi? » Et il m'a donné une grande
fleur de papier qu'il avait rapportée de sa nuit.

CRÉON

Et tu l'as conservée, n'est-ce pas, cette fleur? Et hier,
avant de t'en aller, tu as ouvert ton tiroir et tu l'as
regardée, longtemps, pour te donner du courage?

ANTIGONE, *tressaille.*

Qui vous a dit cela?

CRÉON

Pauvre Antigone, avec ta fleur de cotillon! Sais-tu
qui était ton frère?

ANTIGONE

Je savais que vous me diriez du mal de lui en tout cas!

CRÉON

Un petit fêtard imbécile, un petit carnassier dur et
sans âme, une petite brute tout juste bonne à aller plus
vite que les autres avec ses voitures, à dépenser plus
d'argent dans les bars. Une fois, j'étais là, ton père venait
de lui refuser une grosse somme qu'il avait perdue au
jeu; il est devenu tout pâle et il a levé le poing en criant
un mot ignoble!

ANTIGONE

Ce n'est pas vrai!

CRÉON

Son poing de brute à toute volée dans le visage de
ton père! C'était pitoyable. Ton père était assis à sa
table, la tête dans ses mains. Il saignait du nez. Il pleurait. Et, dans un coin du bureau, Polynice, ricanant,
qui allumait une cigarette.

ANTIGONE, *supplie presque maintenant.*

Ce n'est pas vrai!

CRÉON

Rappelle-toi, tu avais douze ans. Vous ne l'avez pas
revu pendant longtemps. C'est vrai, cela?

ANTIGONE, *sourdement.*

Oui, c'est vrai.

CRÉON

C'était après cette dispute. Ton père n'a pas voulu
le faire juger. Il s'est engagé dans l'armée argyenne. Et,
dès qu'il a été chez les Argyens, la chasse à l'homme a
commencé contre ton père, contre ce vieil homme qui
ne se décidait pas à mourir, à lâcher son royaume. Les
attentats se succédaient et les tueurs que nous prenions
finissaient toujours par avouer qu'ils avaient reçu de

l'argent de lui. Pas seulement de lui, d'ailleurs. Car c'est cela que je veux que tu saches, les coulisses de ce drame où tu brûles de jouer un rôle, la cuisine. J'ai fait faire hier des funérailles grandioses à Étéocle. Étéocle est un héros et un saint pour Thèbes maintenant. Tout le peuple était là. Les enfants des écoles ont donné tous les sous de leur tirelire pour la couronne; des vieillards, faussement émus, ont magnifié, avec des trémolos dans la voix, le bon frère, le fils fidèle d'Œdipe, le prince loyal. Moi aussi, j'ai fait un discours. Et tous les prêtres de Thèbes au grand complet, avec la tête de circonstance. Et les honneurs militaires... Il fallait bien. Tu penses que je ne pouvais tout de même pas m'offrir le luxe d'une crapule dans les deux camps. Mais je vais te dire quelque chose, à toi, quelque chose que je sais seul, quelque chose d'effroyable : Étéocle, ce prix de vertu, ne valait pas plus cher que Polynice. Le bon fils avait essayé, lui aussi, de faire assassiner son père, le prince loyal avait décidé, lui aussi, de vendre Thèbes au plus offrant. Oui, crois-tu que c'est drôle? Cette trahison pour laquelle le corps de Polynice est en train de pourrir au soleil, j'ai la preuve maintenant qu'Étéocle, qui dort dans son tombeau de marbre, se préparait, lui aussi, à la commettre. C'est un hasard si Polynice a réussi son coup avant lui. Nous avions affaire à deux larrons en foire qui se trompaient l'un l'autre en nous trompant et qui se sont égorgés comme deux petits voyous qu'ils étaient, pour un règlement de comptes... Seulement, il s'est trouvé que j'ai eu besoin de faire un héros de l'un d'eux. Alors, j'ai fait rechercher leurs cadavres au milieu des autres. On les a retrouvés embrassés, pour la première fois de leur vie, sans doute. Ils s'étaient embrochés mutuellement, et puis la charge de la cavalerie argyenne leur avait passé dessus. Ils étaient en bouillie, Antigone, méconnaissables. J'ai fait ramasser un des corps, le moins abîmé des deux, pour mes funérailles nationales et j'ai donné l'ordre de laisser pourrir l'autre où il était. Je ne sais même pas lequel. Et je t'assure que cela m'est égal.

Il y a un long silence, ils ne bougent pas, sans se regarder, puis Antigone dit doucement.

ANTIGONE

Pourquoi m'avez-vous raconté cela?

Créon se lève, remet sa veste.

CRÉON

Valait-il mieux te laisser mourir dans cette pauvre histoire?

ANTIGONE

Peut-être. Moi, je croyais.

Il y a un silence encore. Créon s'approche d'elle.

CRÉON

Qu'est-ce que tu vas faire maintenant?

ANTIGONE, *se lève comme une somnambule.*

Je vais remonter dans ma chambre.

CRÉON

Ne reste pas trop seule. Va voir Hémon, ce matin. Marie-toi vite.

ANTIGONE, *dans un souffle.*

Oui.

CRÉON

Tu as toute ta vie devant toi. Notre discussion était bien oiseuse, je t'assure. Tu as ce trésor, toi, encore.

ANTIGONE

Oui.

CRÉON

Rien d'autre ne compte. Et tu allais le gaspiller! Je te comprends, j'aurais fait comme toi à vingt ans. C'est pour cela que je buvais tes paroles. J'écoutais du fond du temps un petit Créon maigre et pâle comme toi et qui ne pensait qu'à tout donner lui aussi... Marie-toi vite, Antigone, sois heureuse. La vie n'est pas ce que tu crois. C'est une eau que les jeunes gens laissent couler sans le savoir, entre leurs doigts ouverts. Ferme tes mains, ferme tes mains, vite. Retiens-la. Tu verras, cela deviendra une petite chose dure et simple qu'on grignote, assis au soleil. Ils te diront tous le contraire parce qu'ils ont besoin de ta force et de ton élan. Ne les écoute pas. Ne m'écoute pas quand je ferai mon prochain discours devant le tombeau d'Étéocle. Ce ne sera pas vrai. Rien n'est vrai que ce qu'on ne dit pas... Tu l'apprendras toi aussi, trop tard : la vie c'est un livre qu'on aime, c'est un enfant qui joue à vos pieds, un outil qu'on tient bien dans sa main, un banc pour se reposer le soir devant sa maison. Tu vas me mépriser encore, mais de découvrir cela, tu verras, c'est la consolation dérisoire de vieillir : la vie ce n'est peut-être tout de même que le bonheur!

ANTIGONE, *murmure, le regard perdu.*

Le bonheur...

CRÉON, *a un peu honte soudain.*

Un pauvre mot, hein?

ANTIGONE, *doucement.*

Quel sera-t-il, mon bonheur? Quelle femme heureuse deviendra-t-elle, la petite Antigone? Quelles pauvretés faudra-t-il qu'elle fasse elle aussi, jour par jour, pour arracher avec ses dents son petit lambeau de bonheur? Dites, à qui devra-t-elle mentir, à qui sourire, à qui se vendre? Qui devra-t-elle laisser mourir en détournant le regard?

CRÉON, *hausse les épaules.*

Tu es folle, tais-toi.

ANTIGONE

Non, je ne me tairai pas. Je veux savoir comment je m'y prendrai, moi aussi, pour être heureuse. Tout de suite, puisque c'est tout de suite qu'il faut choisir. Vous dites que c'est si beau la vie. Je veux savoir comment je m'y prendrai pour vivre.

CRÉON

Tu aimes Hémon?

ANTIGONE

Oui, j'aime Hémon. J'aime un Hémon dur et jeune; un Hémon exigeant et fidèle, comme moi. Mais si votre vie, votre bonheur doivent passer sur lui avec leur usure, si Hémon ne doit plus pâlir quand je pâlis, s'il ne doit plus me croire morte quand je suis en retard de cinq minutes, s'il ne doit plus se sentir seul au monde et me détester quand je ris sans qu'il sache pourquoi, s'il doit devenir près de moi le monsieur Hémon, s'il doit apprendre à dire « oui », lui aussi, alors je n'aime plus Hémon!

CRÉON

Tu ne sais plus ce que tu dis. Tais-toi.

ANTIGONE

Si, je sais ce que je dis, mais c'est vous qui ne m'entendez plus. Je vous parle de trop loin maintenant, d'un royaume où vous ne pouvez plus entrer avec vos rides, votre sagesse, votre ventre.

Elle rit.

Ah! je ris, Créon, je ris parce que je te vois à quinze ans, tout d'un coup! C'est le même air d'impuissance et de croire qu'on peut tout. La vie t'a seulement ajouté tous ces petits plis sur le visage et cette graisse autour de toi.

CRÉON, *la secoue.*

Te tairas-tu, enfin?

ANTIGONE

Pourquoi veux-tu me faire taire? Parce que tu sais que j'ai raison? Tu crois que je ne lis pas dans tes yeux que tu le sais? Tu sais que j'ai raison, mais tu ne l'avoueras jamais parce que tu es en train de défendre ton bonheur en ce moment comme un os.

CRÉON

Le tien et le mien, oui, imbécile!

ANTIGONE

Vous me dégoûtez tous avec votre bonheur! Avec votre vie qu'il faut aimer coûte que coûte. On dirait des chiens qui lèchent tout ce qu'ils trouvent. Et cette petite chance, pour tous les jours si on n'est pas trop exigeant. Moi, je veux tout, tout de suite, — et que ce soit entier, — ou alors je refuse! Je ne veux pas être modeste, moi, et me contenter d'un petit morceau si j'ai été bien sage. Je veux être sûre de tout aujourd'hui et que cela soit aussi beau que quand j'étais petite — ou mourir.

CRÉON

Allez, commence, commence, comme ton père!

ANTIGONE

Comme mon père, oui! Nous sommes de ceux qui posent les questions jusqu'au bout. Jusqu'à ce qu'il ne reste vraiment plus la petite chance d'espoir vivante, la plus petite chance d'espoir à étrangler. Nous sommes de ceux qui lui sautent dessus quand nous le rencontrons, votre espoir, votre cher espoir, votre sale espoir!

CRÉON

Tais-toi! Si tu te voyais criant ces mots, tu es laide.

ANTIGONE

Oui, je suis laide! C'est ignoble, n'est-ce pas, ces cris, ces sursauts, cette lutte de chiffonniers. Papa n'est devenu beau qu'après, quand il a été bien sûr, enfin, qu'il avait tué son père, que c'était bien avec sa mère qu'il avait couché. Et que rien, plus rien, ne pouvait le sauver. Alors, il s'est calmé tout d'un coup, il a eu comme un sourire, et il est devenu beau. C'était fini. Il n'a plus eu qu'à fermer les yeux pour ne plus vous voir! Ah! vos têtes, vos pauvres têtes de candidats au bonheur! C'est vous qui êtes laids, même les plus beaux. Vous avez tous quelque chose de laid au coin de l'œil ou de la bouche. Tu l'as bien dit tout à l'heure, Créon, la cuisine. Vous avez des têtes de cuisiniers!

CRÉON, *lui broie le bras.*

Je t'ordonne de te taire maintenant, tu entends?

ANTIGONE

Tu m'ordonnes, cuisinier? Tu crois que tu peux m'ordonner quelque chose?

CRÉON

L'antichambre est pleine de monde. Tu veux donc te perdre? On va t'entendre.

ANTIGONE

Eh bien, ouvre les portes. Justement, ils vont m'entendre!

CRÉON, *qui essaie de lui fermer la bouche de force.*

Vas-tu te taire, enfin, bon Dieu?

ANTIGONE, *se débat.*

Allons vite, cuisinier! Appelle tes gardes!

La porte s'ouvre. Entre Ismène.

ISMÈNE, *dans un cri.*

Antigone!

ANTIGONE

Qu'est-ce que tu veux, toi aussi?

ISMÈNE

Antigone, pardon! Antigone, tu vois, je viens, j'ai du
courage. J'irai maintenant avec toi.

ANTIGONE

Où iras-tu avec moi?

ISMÈNE

Si vous la faites mourir, il faudra me faire mourir avec
elle!

ANTIGONE

Ah! non. Pas maintenant. Pas toi! C'est moi, c'est moi
seule. Tu ne te figures pas que tu vas venir mourir avec
moi, maintenant. Ce serait trop facile

ISMÈNE

Je ne veux pas vivre si tu meurs, je ne veux pas rester
sans toi!

ANTIGONE

Tu as choisi la vie et moi la mort. Laisse-moi maintenant avec tes jérémiades. Il fallait y aller ce matin, à
quatre pattes, dans la nuit. Il fallait aller gratter la
terre avec tes ongles pendant qu'ils étaient tout près
et te faire empoigner par eux comme une voleuse!

ISMÈNE

Eh bien, j'irai demain!

ANTIGONE

Tu l'entends, Créon? Elle aussi. Qui sait si cela ne va
pas prendre à d'autres encore, en m'écoutant? Qu'est-ce
que tu attends pour me faire taire, qu'est-ce que tu
attends pour appeler tes gardes? Allons, Créon, un peu

de courage, ce n'est qu'un mauvais moment à passer.
Allons, cuisinier, puisqu'il le faut!

CRÉON, *crie soudain.*

Gardes!

Les gardes apparaissent aussitôt.

CRÉON

Emmenez-la.

ANTIGONE, *dans un grand cri, soulagée.*

Enfin, Créon!

*Les gardes se jettent sur elle et l'emmènent. Ismène sort
en criant derrière elle.*

ISMÈNE

Antigone! Antigone!

Créon est resté seul, le chœur entre et va à lui.

LE CHŒUR

Tu es fou, Créon. Qu'as-tu fait?

CRÉON, *qui regarde au loin devant lui.*

Il fallait qu'elle meure.

LE CHŒUR

Ne laisse pas mourir Antigone, Créon! Nous allons
tous porter cette plaie au côté, pendant des siècles.

CRÉON

C'est elle qui voulait mourir. Aucun de nous n'était
assez fort pour la décider à vivre. Je le comprends maintenant, Antigone était faite pour être morte. Elle-même
ne le savait peut-être pas, mais Polynice n'était qu'un
prétexte. Quand elle a dû y renoncer, elle a trouvé autre
chose tout de suite. Ce qui importait pour elle, c'était
de refuser et de mourir.

LE CHŒUR

C'est une enfant, Créon.

CRÉON

Que veux-tu que je fasse pour elle? La condamner à vivre?

HÉMON, *entre en criant.*

Père!

CRÉON, *court à lui, l'embrasse.*

Oublie-la, Hémon, oublie-la, mon petit.

HÉMON

Tu es fou, père. Lâche-moi.

CRÉON, *le tient plus fort.*

J'ai tout essayé pour la sauver, Hémon. J'ai tout essayé, je te le jure. Elle ne t'aime pas. Elle aurait pu vivre. Elle a préféré sa folie et la mort.

HÉMON, *crie, tentant de s'arracher à son étreinte.*

Mais père, tu vois bien qu'ils l'emmènent! Père, ne laisse pas ces hommes l'emmener!

CRÉON

Elle a parlé maintenant. Tout Thèbes sait ce qu'elle a fait. Je suis obligé de la faire mourir.

HÉMON, *s'arrache de ses bras.*

Lâche-moi!

Un silence. Ils sont l'un en face de l'autre. Ils se regardent.

LE CHŒUR, *s'approche.*

Est-ce qu'on ne peut pas imaginer quelque chose, dire qu'elle est folle, l'enfermer?

CRÉON

Ils diront que ce n'est pas vrai. Que je la sauve parce

qu'elle allait être la femme de mon fils. Je ne peux pas.

LE CHŒUR

Est-ce qu'on ne peut pas gagner du temps, la faire fuir demain?

CRÉON

La foule sait déjà, elle hurle autour du palais. Je ne peux pas.

HÉMON

Père, la foule n'est rien! Tu es le maître.

CRÉON

Je suis le maître avant la loi. Plus après.

HÉMON

Père, je suis ton fils, tu ne peux pas me la laisser prendre!

CRÉON

Si, Hémon. Si, mon petit. Du courage. Antigone ne peut plus vivre. Antigone nous a déjà quittés tous.

HÉMON

Crois-tu que je pourrai vivre, moi, sans elle? Crois-tu que je l'accepterai, votre vie? Et tous les jours, depuis le matin jusqu'au soir, sans elle! Et votre agitation, votre bavardage, votre vide, sans elle.

CRÉON

Il faudra bien que tu acceptes, Hémon. Chacun de nous a un jour, plus ou moins triste, plus ou moins lointain, où il doit enfin accepter d'être un homme. Pour toi, c'est aujourd'hui... Et te voilà devant moi, avec ces larmes au bord de tes yeux et ton cœur qui te fait mal, mon petit garçon, pour la dernière fois... Quand tu te seras détourné, quand tu auras franchi ce seuil tout à l'heure, ce sera fini.

HÉMON, *recule un peu et dit doucement.*

C'est déjà fini.

CRÉON

Ne me juge pas, Hémon. Ne me juge pas, toi aussi.

HÉMON, *le regarde et dit soudain.*

Cette grande force et ce courage, ce dieu géant qui m'enlevait dans ses bras et me sauvait des monstres et des ombres, c'était toi? Cette odeur défendue et ce bon pain du soir, sous la lampe, quand tu me montrais des livres dans ton bureau, c'était toi, tu crois?

CRÉON, *humblement.*

Oui, Hémon.

HÉMON

Tous ces soins, tout cet orgueil, tous ces livres pleins de héros, c'était donc pour en arriver là? Être un homme, comme tu dis, et trop heureux de vivre.

CRÉON

Oui, Hémon.

HÉMON, *crie soudain comme un enfant,*
se jetant dans ses bras.

Père ce n'est pas vrai! Ce n'est pas toi, ce n'est pas aujourd'hui! Nous ne sommes pas tous les deux au pied de ce mur où il faut seulement dire oui. Tu es encore puissant, toi, comme lorsque j'étais petit. Ah! je t'en supplie, père, que je t'admire, que je t'admire encore! Je suis trop seul et le monde est trop nu si je ne peux plus t'admirer.

CRÉON, *le détache de lui.*

On est tout seul, Hémon. Le monde est nu. Et tu

m'as admiré trop longtemps. Regarde-moi, c'est cela
devenir un homme, voir le visage de son père en face un
jour.

HÉMON, *le regarde, puis recule en criant.*

Antigone! Antigone! Au secours!

Il est sorti en courant.

LE CHŒUR, *va à Créon.*

Créon, il est sorti comme un fou.

CRÉON, *qui regarde au loin,*
droit devant lui, immobile.

Oui. Pauvre petit, il l'aime.

LE CHŒUR

Créon, il faut faire quelque chose.

CRÉON

Je ne peux plus rien.

LE CHŒUR

Il est parti, touché à mort.

CRÉON, *sourdement.*

Oui, nous sommes tous touchés à mort.

Antigone entre dans la pièce, poussée par les gardes
qui s'arc-boutent contre la porte, derrière laquelle on devine
la foule hurlante.

LE GARDE

Chef, ils envahissent le palais.

ANTIGONE

Créon, je ne veux plus voir leurs visages, je ne veux
plus entendre leurs cris, je ne veux plus voir personne!
Tu as ma mort maintenant, c'est assez. Fais que je ne
voie plus personne jusqu'à ce que ce soit fini.

CRÉON, *sort en criant aux gardes.*

La garde aux portes! Qu'on vide le palais! Reste ici avec elle, toi.

Les deux autres gardes sortent, suivis par le chœur. Antigone reste seule avec le premier garde. Antigone le regarde.

ANTIGONE, *elle dit soudain.*

Alors, c'est toi?

LE GARDE

Qui, moi?

ANTIGONE

Mon dernier visage d'homme.

LE GARDE

Faut croire.

ANTIGONE

Que je te regarde...

LE GARDE, *s'éloigne, gêné.*

Ça va.

ANTIGONE

C'est toi qui m'as arrêtée, tout à l'heure?

LE GARDE

Oui, c'est moi.

ANTIGONE

Tu m'as fait mal. Tu n'avais pas besoin de me faire mal. Est-ce que j'avais l'air de vouloir me sauver?

LE GARDE

Allez, allez, pas d'histoires! Si ça n'était pas vous, c'était moi qui y passais.

ANTIGONE

Quel âge as-tu?

LE GARDE

Trente-neuf ans.

ANTIGONE

Tu as des enfants?

LE GARDE

Oui, deux.

ANTIGONE

Tu les aimes?

LE GARDE

Cela ne vous regarde pas.

Il commence à faire les cent pas dans la pièce; pendant un moment, on n'entend plus que le bruit de ses pas.

ANTIGONE, *demande tout humble.*

Il y a longtemps que vous êtes garde?

LE GARDE

Après la guerre. J'étais sergent. J'ai rengagé.

ANTIGONE

Il faut être sergent pour être garde?

LE GARDE

En principe, oui. Sergent ou avoir suivi le peloton spécial. Devenu garde, le sergent perd son grade. Un exemple : je rencontre une recrue de l'armée, elle peut ne pas me saluer.

ANTIGONE

Ah oui?

LE GARDE

Oui. Remarquez que, généralement, elle le fait. La recrue sait que le garde est un gradé. Question solde : on a la solde ordinaire du garde, comme ceux du peloton spécial, et, pendant six mois, à titre de gratification, un rappel de supplément de la solde de sergent. Seulement, comme garde, on a d'autres avantages. Logement, chauffage, allocations. Finalement, le garde marié avec deux enfants arrive à se faire plus que le sergent de l'active.

ANTIGONE

Ah oui?

LE GARDE

Oui. C'est ce qui vous explique la rivalité entre le garde et le sergent. Vous avez peut-être pu remarquer que le sergent affecte de mépriser le garde. Leur grand argument, c'est l'avancement. D'un sens, c'est juste. L'avancement du garde est plus lent et plus difficile que dans l'armée. Mais vous ne devez pas oublier qu'un brigadier des gardes, c'est autre chose qu'un sergent chef.

ANTIGONE, *lui dit soudain.*

Écoute...

LE GARDE

Oui.

ANTIGONE

Je vais mourir tout à l'heure.

Le garde ne répond pas. Un silence. Il fait les cent pas. Au bout d'un moment, il reprend.

LE GARDE

D'un autre côté, on a plus de considérations pour le garde que pour le sergent de l'active. Le garde, c'est un soldat, mais c'est presque un fonctionnaire.

ANTIGONE

Tu crois qu'on a mal pour mourir?

LE GARDE

Je ne peux pas vous dire. Pendant la guerre, ceux qui étaient touchés au ventre, ils avaient mal. Moi, je

n'ai jamais été blessé. Et, d'un sens, ça m'a nui pour
l'avancement.

ANTIGONE

Comment vont-ils me faire mourir?

LE GARDE

Je ne sais pas. Je crois que j'ai entendu dire que
pour ne pas souiller la ville de votre sang, ils allaient
vous murer dans un trou.

ANTIGONE

Vivante?

LE GARDE

Oui, d'abord.

Un silence. Le garde se fait une chique.

ANTIGONE

O tombeau! O lit nuptial! O ma demeure souter-
raine...

*Elle est toute petite au milieu de la grande pièce nue.
On dirait qu'elle a un peu froid. Elle s'entoure de ses
bras. Elle murmure.*

Toute seule...

LE GARDE, *qui a fini sa chique.*

Aux cavernes de Hadès, aux portes de la ville. En
plein soleil. Une drôle de corvée encore pour ceux qui
seront de faction. Il avait d'abord été question d'y
mettre l'armée. Mais, aux dernières nouvelles, il paraît
que c'est encore la garde qui fournira les piquets. Elle
a bon dos, la garde! Étonnez-vous après qu'il existe
une jalousie entre le garde et le sergent d'active...

ANTIGONE, *murmure, soudain lasse.*

Deux bêtes...

LE GARDE

Quoi, deux bêtes?

ANTIGONE

Des bêtes se serreraient l'une contre l'autre pour se faire chaud. Je suis toute seule.

LE GARDE

Si vous avez besoin de quelque chose, c'est différent. Je peux appeler.

ANTIGONE

Non. Je voudrais seulement que tu remettes une lettre à quelqu'un quand je serai morte.

LE GARDE

Comment ça, une lettre?

ANTIGONE

Une lettre que j'écrirai.

LE GARDE

Ah! ça non! Pas d'histoires! Une lettre! Comme vous y allez, vous! Je risquerais gros, moi, à ce petit jeu-là!

ANTIGONE

Je te donnerai cet anneau si tu acceptes.

LE GARDE

C'est de l'or?

ANTIGONE

Oui. C'est de l'or.

LE GARDE

Vous comprenez, si on me fouille, moi, c'est le conseil de guerre. Ça vous est égal à vous?

Il regarde encore la bague.

Ce que je peux, si vous voulez, c'est écrire sur mon carnet ce que vous auriez voulu dire. Après, j'arracherai la page. De mon écriture ce n'est pas pareil.

>ANTIGONE, *a les yeux fermés;*
>*elle murmure avec un pauvre rictus.*

Ton écriture...

>*Elle a un petit frisson.*

C'est trop laid, tout cela, tout est trop laid.

>LE GARDE, *vexé, fait mine de rendre la bague.*

Vous savez, si vous ne voulez pas, moi...

>ANTIGONE, *vite.*

Si. Garde la bague et écris. Mais fais vite... J'ai peur que nous n'ayons plus le temps... Écris : « Mon chéri... »

>LE GARDE, *qui a pris son carnet et suce sa mine.*

C'est pour votre bon ami?

>ANTIGONE

Mon chéri, j'ai voulu mourir et tu ne vas peut-être plus m'aimer...

>LE GARDE, *répète lentement*
>*de sa grosse voix en écrivant.*

« Mon chéri, j'ai voulu mourir et tu ne vas peut-être plus m'aimer... »

>ANTIGONE

Et Créon avait raison, c'est terrible, maintenant, à côté de cet homme, je ne sais plus pourquoi je meurs. J'ai peur...

>LE GARDE, *qui peine sur sa dictée.*

« Créon avait raison, c'est terrible... »

ANTIGONE

Oh! Hémon, notre petit garçon. Je le comprends seulement maintenant combien c'était simple de vivre...

LE GARDE, *s'arrête.*

Eh! dites, vous allez trop vite. Comment voulez-vous que j'écrive? Il faut le temps tout de même...

ANTIGONE

Où en étais-tu?

LE GARDE, *se relit.*

« C'est terrible maintenant à côté de cet homme... »

ANTIGONE

Je ne sais plus pourquoi je meurs.

LE GARDE, *écrit, suçant sa mine.*

« Je ne sais plus pourquoi je meurs... » On ne sait jamais pourquoi on meurt.

ANTIGONE, *continue.*

J'ai peur...

Elle s'arrête. Elle se dresse soudain.

Non. Raye tout cela. Il vaut mieux que jamais personne ne sache. C'est comme s'ils devaient me voir nue et me toucher quand je serai morte. Mets seulement : « Pardon. »

LE GARDE

Alors, je raye la fin et je mets pardon à la place?

ANTIGONE

Oui. Pardon, mon chéri. Sans la petite Antigone, vous auriez tous été bien tranquilles. Je t'aime...

LE GARDE

« Sans la petite Antigone, vous auriez tous été bien tranquilles. Je t'aime... » C'est tout?

ANTIGONE

Oui, c'est tout.

LE GARDE

C'est une drôle de lettre.

ANTIGONE

Oui, c'est une drôle de lettre.

LE GARDE

Et c'est à qui qu'elle est adressée?

A ce moment, la porte s'ouvre. Les autres gardes paraissent. Antigone se lève, les regarde, regarde le premier garde qui s'est dressé derrière elle, il empoche la bague et range le carnet, l'air important... Il voit le regard d'Antigone. Il gueule pour se donner une contenance.

LE GARDE

Allez! pas d'histoires!

Antigone a un pauvre sourire. Elle baisse la tête. Elle s'en va sans un mot vers les autres gardes. Ils sortent tous.

LE CHŒUR, *entre soudain.*

Là! C'est fini pour Antigone. Maintenant, le tour de Créon approche. Il va falloir qu'ils y passent tous.

LE MESSAGER, *fait irruption, criant.*

La reine? où est la reine?

LE CHŒUR

Que lui veux-tu? Qu'as-tu à lui apprendre?

LE MESSAGER

Une terrible nouvelle. On venait de jeter Antigone, dans son trou. On n'avait pas encore fini de rouler les derniers blocs de pierre lorsque Créon et tous ceux qui l'entourent entendent des plaintes qui sortent soudain du tombeau. Chacun se tait et écoute, car ce n'est pas

la voix d'Antigone. C'est une plainte nouvelle qui sort
des profondeurs du trou... Tous regardent Créon, et lui
qui a deviné le premier, lui qui sait déjà avant tous les
autres, hurle soudain comme un fou : « Enlevez les
pierres ! Enlevez les pierres ! » Les esclaves se jettent sur
les blocs entassés et, parmi eux, le roi suant, dont les
mains saignent. Les pierres bougent enfin et le plus
mince se glisse dans l'ouverture. Antigone est au fond
de la tombe pendue aux fils de sa ceinture, des fils
rouges, des fils verts, des fils bleus qui lui faisaient
comme un collier d'enfant, et Hémon à genoux qui la
tient dans ses bras et gémit, le visage enfoui dans sa
robe. On bouge un bloc encore et Créon peut enfin des-
cendre. On voit ses cheveux blancs dans l'ombre, au
fond du trou. Il essaie de relever Hémon, il le supplie.
Hémon ne l'entend pas. Puis soudain il se dresse, les
yeux noirs, et il n'a jamais tant ressemblé au petit
garçon d'autrefois, il regarde son père sans rien dire,
une minute, et, tout à coup, il lui crache au visage, et
tire son épée. Créon a bondi hors de portée. Alors Hémon
le regarde avec ses yeux d'enfant, lourds de mépris, et
Créon ne peut pas éviter ce regard comme la lame.
Hémon regarde ce vieil homme tremblant à l'autre bout
de la caverne et, sans rien dire, il se plonge l'épée dans
le ventre et il s'étend contre Antigone, l'embrassant
dans une immense flaque rouge.

CRÉON, *entre avec son page.*

Je les ai fait coucher l'un près de l'autre, enfin !
Ils sont lavés, maintenant, reposés. Ils sont seulement
un peu pâles, mais si calmes. Deux amants au lendemain
de la première nuit. Ils ont fini, eux.

LE CHŒUR

Pas toi, Créon. Il te reste encore quelque chose à
apprendre. Eurydice, la reine, ta femme...

CRÉON

Une bonne femme parlant toujours de son jardin, de

ses confitures, de ses tricots, de ses éternels tricots pour les pauvres. C'est drôle comme les pauvres ont éternellement besoin de tricots. On dirait qu'ils n'ont besoin que de tricots...

LE CHŒUR

Les pauvres de Thèbes auront froid cet hiver, Créon. En apprenant la mort de son fils, la reine a posé ses aiguilles, sagement, après avoir terminé son rang, posément, comme tout ce qu'elle fait, un peu plus tranquillement peut-être que d'habitude. Et puis elle est passée dans sa chambre, sa chambre à l'odeur de lavande, aux petits napperons brodés et aux cadres de peluche, pour s'y couper la gorge, Créon. Elle est étendue maintenant sur un des petits lits jumeaux démodés, à la même place où tu l'as vue jeune fille un soir, et avec le même sourire, à peine un peu plus triste. Et s'il n'y avait pas cette large tache rouge sur les linges autour de son cou, on pourrait croire qu'elle dort.

CRÉON

Elle aussi. Ils dorment tous. C'est bien. La journée a été rude.

Un temps. Il dit sourdement.

Cela doit être bon de dormir.

LE CHŒUR

Et tu es tout seul maintenant, Créon.

CRÉON

Tout seul, oui.

Un silence. Il pose sa main sur l'épaule de son page.

Petit...

LE PAGE

Monsieur?

CRÉON

Je vais te dire à toi. Ils ne savent pas, les autres; on est là, devant l'ouvrage, on ne peut pourtant pas se croiser les bras. Ils disent que c'est une sale besogne, mais si on ne la fait pas, qui la fera?

LE PAGE

Je ne sais pas, Monsieur.

CRÉON

Bien sûr, tu ne sais pas. Tu en as de la chance! Ce qu'il faudrait, c'est ne jamais savoir. Il te tarde d'être grand, toi?

LE PAGE

Oh oui, Monsieur!

CRÉON

Tu es fou, petit. Il faudrait ne jamais devenir grand.

L'heure sonne au loin, il murmure.

Cinq heures! Qu'est-ce que nous avons aujourd'hui à cinq heures?

LE PAGE

Conseil, Monsieur.

CRÉON

Eh bien, si nous avons Conseil, petit, nous allons y aller.

Ils sortent, Créon s'appuyant sur le page.

LE CHŒUR *s'avance.*

Et voilà. Sans la petite Antigone, c'est vrai, ils auraient tous été bien tranquilles. Mais maintenant, c'est fini. Ils sont tout de même tranquilles. Tous ceux qui avaient à mourir sont morts. Ceux qui croyaient une chose et puis ceux qui croyaient le contraire — même ceux qui ne croyaient rien et qui se sont trouvés pris dans l'histoire sans y rien comprendre. Morts pareils, tous, bien raides, bien inutiles, bien pourris. Et ceux qui vivent encore vont commencer tout doucement à les oublier et à confondre leurs noms. C'est fini. Antigone est calmée maintenant, nous ne saurons jamais de quelle fièvre. Son devoir lui est remis. Un grand apaisement triste tombe sur Thèbes et sur le palais vide où Créon va commencer à attendre la mort...

Pendant qu'il parlait, les gardes sont entrés. Ils se sont installés sur un banc, leur litre de rouge à côté d'eux, leur chapeau sur la nuque, et ils ont commencé une partie de cartes.

LE CHŒUR

Il ne reste plus que les gardes. Eux, tout ça, cela leur est égal; c'est pas leurs oignons. Ils continuent à jouer aux cartes...

Le rideau tombe rapidement pendant que les gardes abattent leurs atouts.

FIN D'ANTIGONE

ACHEVÉ D'IMPRIMER LE 15 JUIN 1966
SUR LES PRESSES DE L'IMPRIMERIE
GROU-RADENEZ, 27-29, RUE DE LA
SABLIÈRE A PARIS.